おいしい、ダイバーシティ

美食ニッポンを開国せよ

横山真也

“おいしいダイバーシティ”をはじめよう

「ターニングポイントは2020年だった」。いつか歴史の教科書にはそう記されるかもしれません。

10年、20年、あるいは30年後。日本はどのような姿になっているのでしょうか。国際社会でリーダー的な存在になっている？　いや全く逆で、世界の辺境になってしまっているかもしれません。

56年ぶりに東京でオリンピック、パラリンピックが開催されるはずだったあの年を「災厄」の年として記されるのか、それとも日本がV字「回復」した年として記されるのか。つまり、日本が本当の意味で、国際社会の一員として歩みを始めるのか否か。それはこれからの「食」に対する考え方次第だと訴えかけるのが、この本の役割です。

2020年、新型コロナウイルス（COVID-19）という強敵が出現し、止まるはずのない世界が止まり、私たちはまったく唐突に、未知の世界へと放り出されました。移動どころか外出さえも規制され、21世紀だというのに国境をまたぐ移動は江戸時代よりも少なくなってしまったとする学者もいるほどです。その結果、日本で最後の成長産業と言われるインバウンド（訪日観光市場）は対前年比99％減（2020年4～10月期）という、およそ想像もつかない壊滅的な状況となり、日本の将来には暗雲が立ち込めています。

しかし。

冷静になって考えてみると、この事態は必ずしも悲劇ばかりではありません。「新しい日常＝ニューノーマル」が叫ばれる中で、これまで変えられなかったものを変えるチャンスでもあるのです。

例えば、これまで必要だとわかっていながら進まなかったテレワークやオンラインコミュニケーション、電子申請やキャッシュレス決済などは急速に普及し、利便性や生産性の向上に大きく寄与しています。もう毎日満員電車で通勤することや、現金を財布に入れて持ち歩く必要はなくなるでしょう。海外とのコミュニケーションも一気に手軽になりました。以前から必要性が叫ばれていたスキルやツールが、ほんのわずかな日数で誰もが当たり前のように使える状況になったのです。

まさしく、あの2020年がターニングポイントだったのです。

そして私は人にとって最も身近な食こそ、日本が生き残るために変えるべきものであると訴えています。

「これだけ豊かで、伝統もある日本の食を、どう変える必要があるの？」

素朴にそう疑問に思う方もいらっしゃるでしょう。そういう方にこそ、こんな例があることを知っていただきたいと思います。

例えば――。

マイナス15kg。これは何の数字だと思いますか？　これは私の友人が1年間で減った体重です。

ダイエットしていたのではありません。働きすぎて体重が減ったのでもありません。この日本で、食べるものが見つからずやせ細ってしまったのです。

彼は東京大学に留学生としてパキスタンからやってきたムスリム（イスラム教徒）です。当時日本語がわからなかった彼は、スーパーに売っている食品やお店で出される料理に何が入っているのかがわからず口にできなかったため、1年で15kgも痩せてしまったのです。

それからこういう人もいます。

彼はアメリカ人。日本での起業を目指して来日し、長期滞在していました。ITのエンジニアとして優秀だった彼には来日直後から仕事が舞い込み、前途は洋々だと思われました。しかし彼は日本での食事に困って他の国へ移住してしまいました。ヴィーガン（完全菜食主義者）である彼は動物性のものを一切口にしません。日本にいる間、お気に入りのヴィーガン・レストランが見つからず、毎日野菜スティックと塩おにぎりを食べるしかなかったのです。

読者の多くはこうした食のルールをもつ人はレアケースだと思われるかもしれません。しかし世界的にはムスリムは世界人口の22・5％、ヒンドゥー教徒は13・8％を占めるのです。それにベジタリアンやヴィーガン、グルテンフリーやアレルギーの人も含めると、実に世界の半数近くの人たちは何らかの食のルールを持っていると考えられています。

つまり世界は、なんでも「食べるという多様性」（ダイバーシティ）だけでなく「食べられないという多様性」に溢れているのです。彼らからすれば、基本何でも食べる日本人は極めてマイナーな存在なのかも知れません。

「そういえばクラスに豚はNGだという外国人二世がいるな」

「会社の同僚はベジタリアンだ」

「商談で来日したお客様のリクエストが細かくて、会食のレストランを探すのに苦労した」

こうした経験のある人は増えているのではないでしょうか。

とはいえ、私自身もこうしたフードダイバーシティ《食の多様性》に関心を持ち始めたのは

2013年のことでした。当時私はシンガポールで暮していたのですが、あるとき一時帰国することになり、不動産関係の仕事をしている友人のラーマンさんを誘いました。

「ねえ、ラーマンさん。今度日本に帰るのだけど、一緒に行かない？　案内するよ！」

アニメなどニッポン文化が大好きなラーマンさんです。二つ返事で提案にのってくると思いきや、彼の返答は、私がまったく予期しないものでした。

「ニッポン……。食べるものがないから、やめておくよ」

「？」

私は一瞬、彼が何を言っているのか理解できませんでした。食べるものがない？　美食の国、ニッポンに？

「おいおい、ラーマンさん。どこの国と間違っているんだよ。ニッポンだよ？　すしや天ぷらや懐石やらのニッポンだよ。うまいもので溢れている美食の国だよ」

「いやいや、そうじゃないんだよ、ヨコさん」

私のことをニックネームの〝ヨコ〟と呼ぶほどのつきあいがあるだけに、ラーマンさんは言いにくそうに続けました。

「正しくいえば、食べられるものがないんだよ。ぼくたち、ムスリムには」

せっかく誘ったのにと残念に思った私は、その日から彼らの食のルールを調べ始めました。そして、だんだんとわかってきたのです。世界にはムスリム以外にも食についてルールをもつ人がいて、日本が大好きなのにそれが障害になって訪日できないでいることを。そして私を含む多くの日本人はそれをよく理解しておらず、彼らを知る機会を逃していたことを。と同時に、ちょっとした配慮でそれは解決できることも発見しました。

「ハラール対応を始めれば、日本を大きく変えられるのではないか」

ラーマンさんとの一件から日本の食の限界を感じていた私は、日本の食を多様化させることは日本の国際化につながると考えるようになりました。ハラールから始めれば日本はもっとASEAN（東南アジア諸国連合）からヒト、モノ、カネ、情報を取り込むことができる。しかも食であれば難しくない。日本は食の宝庫である上おもてなしの国だし、何よりASEANの人たちは日本へ行きたがっている。私がハラールメディアジャパン（現フードダイバーシティ株式会社）を創業しようと思った瞬間でした。

ダイバーシティというと、日本ではジェンダーギャップ（男女格差）やLGBT（性的少数者）といったマイノリティーを意味することが多いですが、私が言うダイバーシティはもっと広範なものです。世界中に存在するあらゆる価値観をお互い認め合い、共生するための基本的な認識だと捉えています。シンガポールで暮らしていると、このダイバーシティという言葉を聞かない日はなく、小国である彼らがいかにダイバーシティに重きを置き、多文化共生社会を築いているかがわかります。

そうした観点から本書では、あえて横文字のまま、「ダイバーシティ」「フードダイバーシティ」という文言を使用しています。

本書でいうフードダイバーシティ（食の多様性）とは、食を通じてお互いに認め合い、尊重し合うという価値観を指しています。「どうしてこれを食べられないの？」という批判的な眼差しではなく、「食べない／食べられないという選択もＯＫだよね」「人それぞれにスタイルがあるから問題ないよね」といった配慮を重視しています。

国際基準では「常識」あるいは「教養」として実践されてきたそれらのダイバーシティは、残念ながら日本では、インバウンドが拡大し続けるなかでも軽視、いや、無視されてきました。

そうした中起こったコロナ危機。

パンデミックを体験した世界は、それまでのノーマルとは異なるニューノーマルへの移行を始めました。事業者は新たな日常へ適応しながら業績回復への道を模索していますが、その多くはかつて来た道をなぞろうとしています。これでは日本の国際化は進まず、ニューノーマルな世界では淘汰されてしまうでしょう。

ただ「元来た道」に回帰すればいいのではないことは、本文でも示すように明らかです。史上空前の好況にわいた「インバウンド最盛期」にもオーバーツーリズム（観光客の押し寄せ）やマナー違反といった危機の芽はあちこちにあったのですから。

では、どうすればよいのか。本書では、食を通じた日本の国際化を論じます。それと共に日本の不都合な真実もお伝えしていきます。それは世界の中の日本の現在地を事実として受け入れ、未来に向かって進むべき方向を確認するためです。

「日本ってこんなに危ういのか」と思われるかもしれません。と同時に「こんな世界があったのか」「そうだったのか、知らずに損した」と思われる方もいらっしゃるでしょう。日本の将来は確かに危ういのですが、打つ手がないわけではありません。フードダイバーシティはその1つで、しかも最も簡単に始められ、最も効果の高い〝おいしい〟施策なのです。例えばレストランであればちょっとの工夫で新しいお客様を増やすことができますし、学校であればいつも弁当を持ってきていたクラスメートと一緒に、みんなで給食を食べられるようになります。「食」を共に楽しめば、さまざまな垣根を飛び越えて、人は心をつなげていけることでしょう。

美食の国の〝おいしい〟世界へようこそ。ここには誰でも一緒に食事を楽しめるOne Tableの世界が広がっています。

それでは「おいしいダイバーシティ」を始めましょう。

第4章 未来予想図 145

あとがき 食は世界の共通語 181

もっと知るためのコラム

第1章

日本の食の現在地

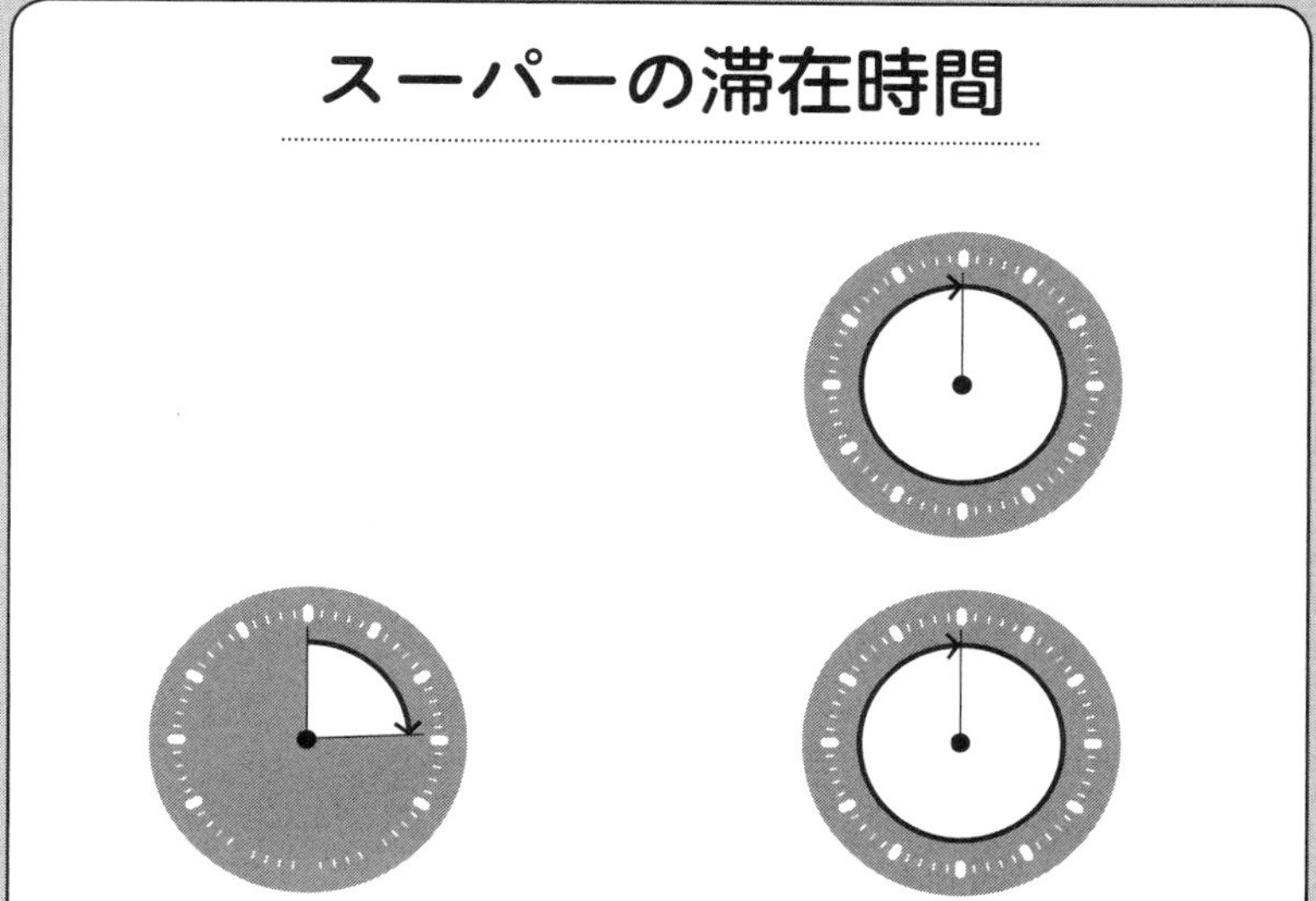

出典：「ショッパー・マーケティング研究会」など

私は2014年からフードダイバーシティ株式会社という会社を経営しています。

この会社では、訪日・在住外国人向けに、食事や旅情報を報じるウェブメディア『フードダイバーシティトゥデイ』*の運営と、それに係る日本の食の多様性への対応コンサルティングを行っています。メディアのページヴュー（閲覧数）は年間300万回以上、SNS（ソーシャルネットワーキングサービス）のコミュニティーメンバー数は10万人以上、Youtubeチャンネル『ハラールメディアジャパン』**のビデオは関連したものを含め、これまで550万回以上の再生回数を記録しています。

またグループ会社では、海外のクラウドファンディングを活用し、台湾、香港、シンガポール、マレーシアで「東京食素！美味蔬食餐廳47選」と「関西食素！美味蔬食餐廳55選」という繁体字（台湾、香港、マカオなどで使われる漢字）のベジタリアングルメガイドブックを発行したりもしています。加えて、ムスリム（イスラム教徒）やベジタリアン訪日客を呼び込みたい全国の15のエリアで、ハラール情報などを盛り込んだオリジナルの観光マップも制作しています［図01］。

こうしたビジネスを通して、諸外国の方々の生の声や、飲食店・行政機関の担当者の悩みを聞く機会が多くあります。この章ではまず、彼らから聞いた実際のエピソードと、私自身が体験したこと、見てきたことをもとに日本の食の現在地を紹介しましょう。

* https://fooddiversity.today
** https://www.youtube.com/c/halalmediajp

日本観光を楽しめないムスリムたち

九州・博多港であった話です。ヨーロッパ発の定員3000人を超えるクルーズ船が、世界周遊の一環で寄港しました。1000人もの人が一気に船から降りてきて、町は大にぎわい。博多といえば、屋台が連なる中洲があり、高級グルメも多数あり、日本の味を堪能しようと、さまざまな国籍の人たちが続々街に繰り出しました。

——が、そんな中で、船を降りなかった人たちがいました。ムスリム、それも、中東の富裕層の一団です。

船に残る集団がいたことに驚いたクルー（船員）が、彼らに話しかけました。

「どこか具合が悪いのですか？」

「いや、すこぶる元気だよ。ここから眺める夜景はいいね」

「船を降りないのですか？」

「ああ。日本だろ？　やめておくよ」

「日本がお嫌いですか？」

「好きだよ。戦後の経済発展は見習うべき点もたくさんある。でも、好き嫌いとは別のことだね」

「お食事ですか？」

「そう。安心して食べられないじゃないか。前に来たことがあるのだが、残念ながらどの店

著者が
観光マップ制作に
かかわった
15エリア
（2020年12月現在）

帯広
旭川
札幌
日光
佐野
川越
千葉
浅草
新宿
静岡
京都
大阪
神戸
姫路
沖縄

沖縄

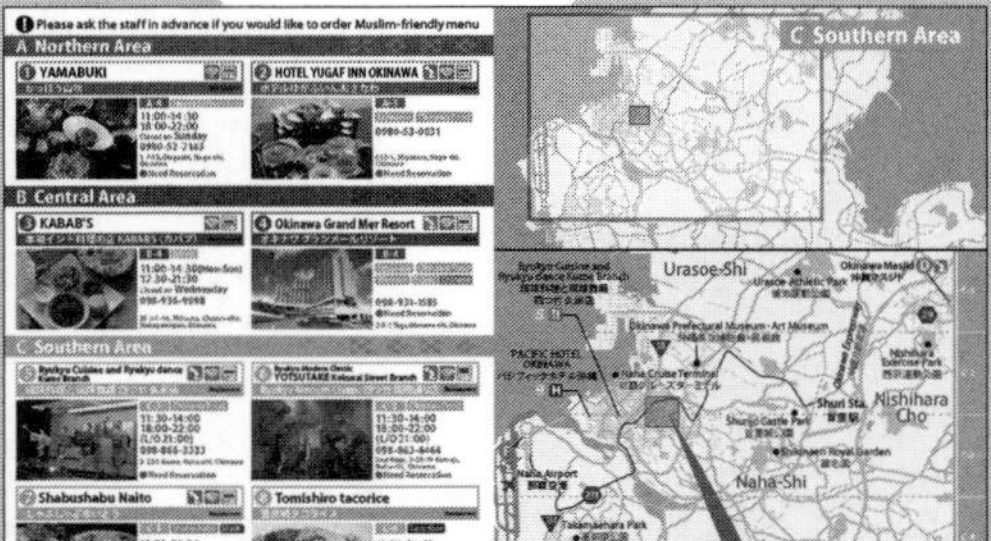

[図01] ハラール情報などを盛り込んだ観光マップの一例

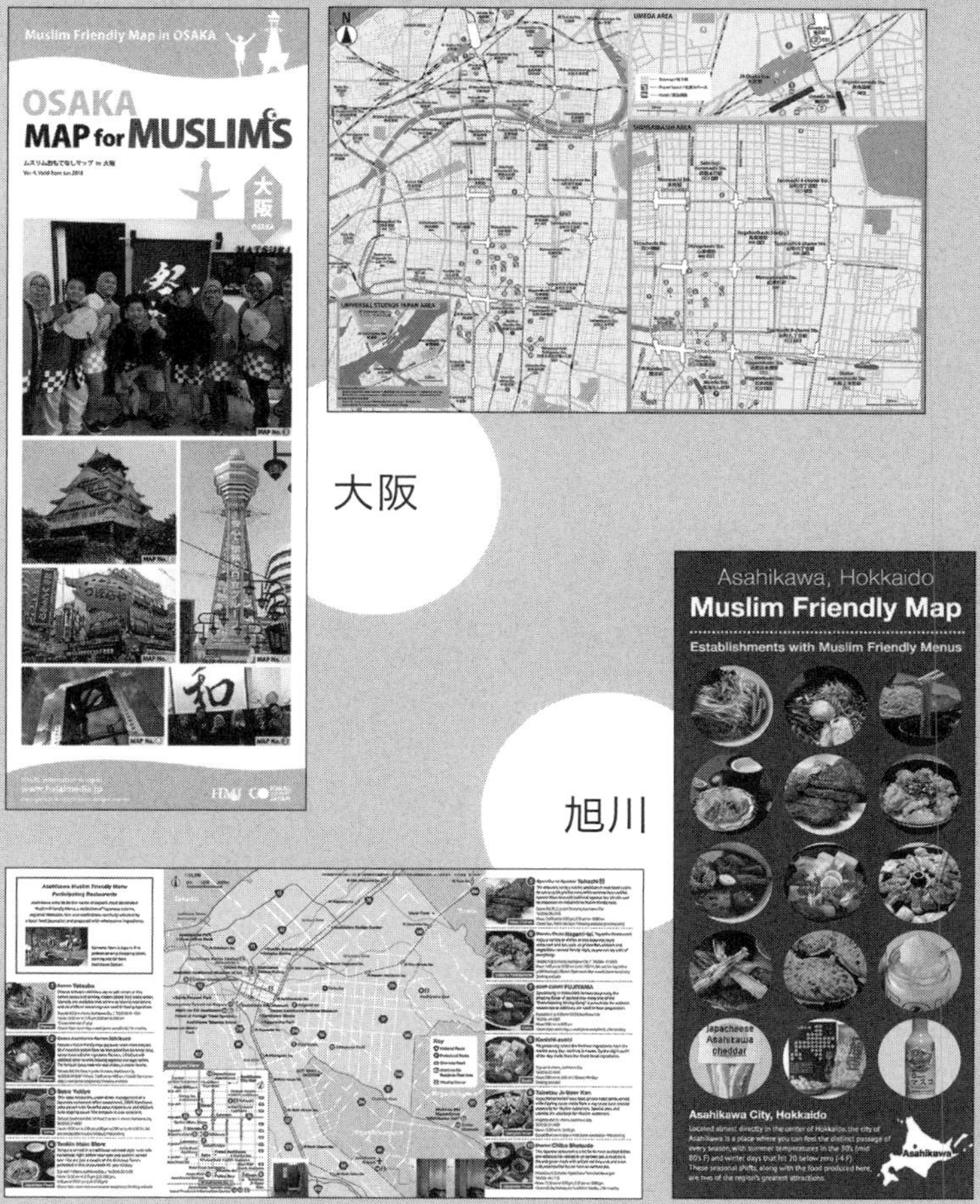

もハラール*対応じゃないから何が入っているかわからないし、英語は通じないし」

中東の富裕層というと、私たちがイメージするいわゆる「お金持ち」の、さらに上を行く資産家がたくさんいます。お金の使い方は大胆。気に入ったお店があれば丸ごと借り切ったり、シェフを自分の国に連れて帰りたいと言い出したり。

一方で、価値がないとみなすと1円たりとも出費をしないという厳しさも持ち合わせています。

このケースでは、そんな彼らから、いわば日本は見放されたといえるでしょう。もし初めての訪日で日本を気に入ってくれたなら、彼らは年に何度も日本に来てくれたはずです。そして、目の玉が飛び出すような支払いを、各所で何度もしてくれたことでしょう。

……が、一度見放されたが最後。日本の土地が目の前にあっても船から降りさえしないというのが彼らの流儀です。ちなみにこの資産家は、日本滞在中は同行させたお付きの人に料理させ、船内で食事を済ませました。

これはまだごく一握りの反応でしょうが、コロナ禍の後にビジネス客や観光客が戻ってきた時、彼らの失望を買わないかと私は内心ヒヤヒヤしています。仲間を大切にする彼らは、情報の伝播力（口コミ）がすごい。万一、「日本では食べ物に苦労する」という情報が広まったら、彼らの今後の訪日は期待できなくなるでしょう。

＊ **食を含む生活全般に関するイスラム教の戒律。アラビア語で「神に許された」の意。反対語は「ハラーム」。**

ネギを取り分ける台湾人

当社「フードダイバーシティ」の事務所がある、東京・浅草のラーメン店での1コマです。

1人でも入りやすい雰囲気の店で、昼食に初めて立ち寄りました。カウンターで料理を待っていると、隣に座った男性が、せっせと箸を動かしています。動かす割に、麺をすする音は一向にしてこない。「?」と不思議に思ってさりげなく横目を向けると、彼はラーメンに乗ったネギを一生懸命取り出していました。

「ははーん、オリベジだな……」

私はすぐに合点が行きました。オリベジとは、オリエンタルベジタリアンのこと。台湾人に多く、彼らは五葷《ごくん》といって、ネギなどの薬味を摂りません（詳しくは113ページ）。注文するところを見ていないのでわかりませんが、きっと彼は、「ネギが入っていませんように!」と賭けの気持ちでラーメンを注文したか、「ネギを入れないで」と一言添えたけれども入っていたか、のどちらかでしょう。後者の場合、日本人にとって薬味として用いるみじん切りのネギは棒状の長ネギと異なってイメージされるため、何気なく入れてしまうことが多いのです。私たち日本人は「ネギを抜いて」と言われたら、3センチ刻みのネギを思い浮かべてしまいます。似たケースで、「肉を抜いて」と言われて固まり肉は使わなかったけれど、うっかりひき肉を混ぜてしまった……という失敗もよく聞きます。

ともあれ、ネギやニンニクなどの五葷を摂取しないオリエンタルベジタリアンは日本で知られていないということもあり、密かに苦労している外国人は多いです。

後日談ですが、コンサルタントとして全国を回るなかで、とあるラーメン店を訪ねたときのこと。店主が真顔で「外国人は好き嫌いが激しくて困るね」と言っていたのに驚かされたことがあります。

「好き嫌い」と言えなくもないですが、それが仏教の教えのひとつだと知っていれば、〝外国人〟とひとくくりにすることも減るのではないでしょうか。

よく言われるように、台湾など東アジアからのインバウンドには、「日本が大好き」という人が多いです。そんな彼ら――日本のラーメンを食べたい、と一人で店に入って注文するほどの彼――が心底満足して帰れるような食環境が求められています。

買い物に2時間かかるムスリマ

これは当社の社員の話です。マレーシアからきたムスリマ（イスラム教徒の女性）で、日本の大学に留学し、そのまま日本で就職、つまり「フードダイバーシティ」へ入社しました。日本語は日常レベルなら問題なく話せます。読み書きもそこそこできています。ただ、漢字は理解できるものがかなり限られるようで、社内のレポートなどは基本的には英語を用いています。

日本での暮らしは、かれこれ4年以上になります。そんな彼女と雑談をしていて、びっくりさせられました。なんと1回の買い物に2時間以上をかけているというのです。それも、家具や電化製品を買うならまだしも、ふだんの食材にそれだけかかるというのです。

「ハラールを判断するのに時間がかかるということ？」

私が問うと、彼女はイエスと答えました。

「それにしたって、2時間はかかりすぎじゃない？」

不思議に思って聞くと、彼女は日本の食品表示がいかに複雑かつ不親切かを滔々と説明し始めました。表示されている言語はもちろん日本語です。今でこそたいていの漢字、ひらがな、カタカナの読み書きができるようになった彼女ですが、来日直後はスマホの翻訳機能を使って一つ一つ英訳して何が入っているかをチェックしていたそうです。それでも中には「調味料（アミノ酸等）」といった不十分な情報開示があると、その「等」は何かを確認するために都度メーカーに電話していました。

それから意外にも、日本の食品には多品種ともいうべき問題があるとのこと。例えば豆腐。スーパーによっては10種類以上の豆腐が棚に並んでいますが、何がどう違うのかを把握するのにも時間がかかったそうです。また乳化剤においてもそれが大豆などの植物由来のものなのか動物由来のものなのか確認しなければならないことが頻繁にあります。

「だんだん、どの原材料がOKでどれがNGかわかってきたので、調べて判断するスピードは上がっています」

とポジティブに話す彼女ですが、表示がユニバーサルになれば解決できる話なので、ここは何とか改善していきたいものです。食品の成分表示はとても重要で、私たちが手がけるハ

ヒジャブは典型的？

ムスリムの服装といえば、顔や全身を隠す女性の姿が特徴的です。

顔や全身を隠すあの服装は、やはり、聖典クルアーンに基づいて着用されています。クルアーンでは「女性は顔と手以外を隠し、近親者以外には目立たないようにしなければならない」と示されています。

その教えを彼女たちは敬虔に守っているのですが、その服装には地域性や文化が反映されています。

例えば、「アバヤ」は、黒い布で全身を覆うアラビア半島伝統の民族衣装。黒い布の間から目だけが出る服装です。

「ヒジャブ」は、スカーフのような布で頭髪を隠すスタイルです。多地域で着用される、ポピュラーな服装で、日本で見かけるムスリマ（ムスリムの女性）は、ほとんどヒジャブを用いています。クルアーンに従いたいけれども、全身を覆うのは暑くて無理がある、という現実的なニーズから生まれたスタイルのようです。

ほかにも、ヒジャブよりも隠す範囲が広い「ヒマール」、目の部分さえ網状で隠されるアフガニスタンの民族衣装「ブルカ」など、さまざまなスタイルがあります。

さて、これらの着用についてですが、多くの地域では、個人が自由に判断しています。私が知る中でも、普段からヒジャブをつけない女性がいます。また、自国では着用するものの旅先では外すといった人もいます。ビジネスで紹介された東京で会ったサウジアラビア人のムスリマは、髪だけを覆うターバン姿でした。

ちなみに、フランスのデータで、同国内に住むムスリマ300万人うち、日常的にヒジャブを着用するのは0.07％の2000人だけという報告があります。フランスの場合は、女性解放という観点と身の安全を守るため（差別を助長しないため）といった面も大きく影響しているようですが。

ラール・ベジタリアンレストラン検索アプリ「ハラールグルメジャパン」*では、陳列された商品の写真を撮るだけでそれがハラールかどうかを判断できる機能の実証実験をＮＴＴドコモおよびセブン—イレブンと共に始めています。ピクトグラムを活用すれば多言語対応をする必要がないので、こうした取り組みはどの企業もすぐにできるのではないでしょうか？

* https://www.halalgourmet.jp

引きこもる在住ムスリムたち

いま日本に暮らすムスリムは10万人とも20万人ともいわれます。彼らの多くは、東京、大阪、名古屋といった大都市の近郊に暮しています。が、「あまり見かけないなぁ」という感想を持つ方が多いのではないでしょうか？

実は、ムスリムの多くが「あまり外出しない」という現実があります。外出が嫌い？　いえいえ、まさか。外出することがストレスになるから、出掛けたいけど外に出ないのです。

何がストレスになるのか。幾つも理由はあるのですが、まずいちばんは、「外食が楽しくないから」です。事前に調べて出掛けない限り、ハラールかどうか見極めができないので気楽に外食できないのです。

その一例が、ケンタッキー・フライド・チキンです。世界中で「ＫＦＣ」の愛称で親しまれ、世界各国でハラール対応しています。チキンはムスリムも大好き。日本でも、懐かしの味、安心の味、と思って、店先に並びます。が、そこで彼らは、日本の店だけはなぜかハラールではないことを知るのです。

ハラールへの認識がないまま日本での店舗展開が行われたため、同じチェーンなのに日本だけは世界標準と異なる料理を今も提供し続けています。当社が行ったアンケートでも、日本におけるKFCのハラール化が最も望まれています。

このことが象徴するように、日本のハラール化はとても遅れています。町中の飲食店だけではありません。例えばテーマパーク。日本では、ハラールフードを提供しているテーマパークはほとんどありません。訪日外国人にも大人気のUSJ。ここでさえ、ハラール対応を始めた店舗ができたのは、2020年になってからでした（ちなみに、ユニバーサルスタジオはシンガポールにもあるのですが、こちらはもちろん園内全域でハラールフードを提供しています。同じテーマパークなのになぜ対応が違うのでしょう?）。

このような状況では、ムスリムたちは気軽に出掛ける気にはなりません。その結果、家と自宅とを往復する日々を過ごすことになっています。

食の面のほかにも、「ヒジャブ*をしているとじろじろ見られる」「お祈りができる場所がどこにもない」「英語が通じない」といったことも、彼らのストレスの原因になっています。

＊ イスラム教徒の女性が身につけるスカーフ。「ヒジャーブ」「ヘジャブ」とも。

1人だけ弁当持参

これは、私がコンサルタントをしていて、最も悲しく思った一件です。

知人を介して紹介されたのですが、中学生のお子さんを持つムスリムのお母さまから「今度息子が修学旅行に行くのだけど、食事をどうすればいいのかしら」と相談を受けました。日本の中学校に通うお子さんが秋に2泊3日で京都に修学旅行に行く。しかし、旅館の料理が何かは事前にわかっておらず、安心して送り出せない、というのです。

このケースはアレルギーと同じと考えればよいと思い、お母さまには「ハラールを説明するとややこしくなるので、お子さまは豚アレルギーということにしましょう。それで、まずは学校の先生に、『ウチの子はアレルギーなので……』と相談なさってみてください」とアドバイスしました。

豚アレルギーと信じてもらえたかはわかりませんが、その後、新たな相談はないので、きっとうまく進んだものと思います。学校の場合は、思想信条では話が通らず、安全にかかわる案件にすると急に理解が得られるので、対処法がわかっている反面、「なんだかなぁ」という気もしています。

しかし、この話は、これで終わりではありません。話の延長で、「そもそも、ふだんの給食はどうしているのですか?」と尋ねたのですが、そこでお母さまはこうお答えになったのです。

「ウチだけ、弁当を持たせています」

「え？　ひとりだけですか？」

「学校にムスリムはうちだけなので、ほかの子はふつうに給食を食べています。それは、小学生の弟も同じです」

お母さまによると、最初は何度も学校に相談し、「何が入っているか、どう作られたかわからない給食を食べさせるわけにはいかない。献立をもっと詳しく教えてもらうことはできないだろうか？」と掛け合ったそうなのですが、毎食対応するのは困難との返答で、まったく進展がなかったそうです。それで最後は、「1人だけ弁当持参を認めます」ということで話が落ち着いたとのことでした。

しかしこの決着は、本当に悲しいものです。食はみんなで囲む喜び、楽しさがあるはずです。自分だけみんなと違った弁当を開け、弁当を食べるのは、どんな気持ちがするものなのでしょう。違いを認め合うことが多様性のはずですが、このケースはもっとも悪い〝排除〟です。違いを際立たせるだけの解決法に思えます。

そもそも学校が給食を出すのは、「食育」も目的の1つにしているはずです。どうしてこれを機会に、ハラールやベジタリアンなどを教えることに使わないのでしょうか。

いま、外国をルーツに持つ子は全国で増えています。きっと、私が把握している以上に、この問題は全国各地で起こっていることでしょう。

それに加えていえば、病院などのハラール化も遅れています。さまざまな病気に向き合う病院は比較的個別対応をしてくれるところではありますが、病気によっては入院先を選ぶことができないのですから、すべての病院で誰もが安心して食事ができる状況に変わっていってほしいものです。

飲み会に恐怖するムスリム

最近はさすがに減ってきているようですが、以前はよくあった事例です。

職場が初めてムスリムを迎えるとき。日本人の新人を迎えるのと同様、親しく話しかけ、丁寧に指導をしていきます。そして、お決まりのパターン。

「じゃあ、金曜日に歓迎会をやりましょう！」

で、出掛ける先は居酒屋。ハラールの存在すら知らない人も少なくなく、社員そろって「遠慮しないで飲みなよ！」とはやし立て、「いや、私は飲めないのです」と幾ら拒んでも、「ちょっとぐらいいいじゃない。飲もうよ、飲もうよ」と無理強いすることもあるようです。

ムスリムのなかには、こっそり飲酒をする人や、ノリ良く飲んでしまう人もいるので、「前の新人さんは飲んでたよー」などと、軽く考える日本人も少なくありません。

また、お酒を勧める問題と同時に、ムスリムたちを居心地悪くさせるのが居酒屋メニューです。基本的に、揚げ物などはどんな油を使っているかわからないので避けたいところ。肉類は、豚は言わずもがなですが、牛、鶏もハラール処理*されているかわからないのでNG。

＊　イスラム教の戒律に則って精肉処理すること。

自分で注文できる状況なら枝豆や豆腐、刺身などでそれなりに手をつけられますが、コース料理や幹事がまとめて注文した場合には、肉類中心でテーブルが埋まることもしばしば。「サラダのレタスしか食べられなかった……」という嘆きの声が出ることも珍しくありません。

こうした日本の会社の文化を知らないムスリムの中には、新人いじめと勘違いした人もいたとか。入社直後のことだけに、彼らの心理的なダメージは大きいことでしょう。せめて英語がわかる人が周りにいればよいのですが、受け入れる日本の職場のほうは「来る外国人側が日本語を習得してくるべき」という認識のところが多く、結局のところ、言葉、文化への理解、フォローなど、あらゆる面で日本の会社の受け入れ態勢の脆弱さを認めないわけにいきません。

日本で就職活動した留学生に聞くと、多くの日本企業は留学生を「どれだけ日本語が話せるか」「どれだけ日本人慣れしているか」という基準で選考していると感じているとのこと。だったら日本人学生だけを採用すればいいじゃないかと感じる留学生は少なくないようです。

スキー旅行でインスタント食品

マレーシアからやって来た私の友人の例です。家族で憧れだったスキー場へ。しかし、周辺にハラール対応のレストランはなく、食の楽しみは諦めて、スーツケースいっぱいにインスタント食品を詰めて来日しました。

スキー場では、予定通りに、昼も夜も部屋でインスタント食品。

「残念だったけど、温かい料理を安心して食べられたから、まあ、いいよ」

後日、そんな感想を聞かせてくれました。

意外に知られていないことですが、ASEANの人たちは、あまり温泉宿を好みません。もちろん個人差があるとは思いますが、私の友人たちは、「自分で食べたいものを選んで注文できないから、懐石料理は好きではない」「宿の人がふとんを敷きに勝手に部屋に入って来るのがイヤ」といった感想を漏らします。よかれと思って宿が提供していることが、彼らの価値観には合っていないのです。

また、ASEANからやってくる人たちは、家族・親族でまとまって動くことを好みます。5人、10人という団体客になることも多く、料金的な意味でも、また家族や仲間との団らんのしやすさからも、エアビーアンドビーなどの民泊のほうが使いやすいのです。

民泊では自分たちで調理することもしばしばですが、ホテルに宿泊する際に人気なのは、ビュッフェのあるホテルです。ビュッフェは自分たちで食べるものを選べるので「食材が書いてあれば安心だし、好きなだけ取り分けられるので楽しい」ようです。実際ASEANでの食事では大皿で注文し、分け合い取り合ってシェアすることが多いです。ただコロナの影響によって、トング（食べ物をつかむための道具）の使用は控えられているため、しばらくビュッフェは楽しめそうにありません。そこで注目されているのがワゴンビュッフェです。スタッフがワゴンで席を回ってくれるので着席したままで好きなメニューを好きなだけ食べられます。ビュッフェではハラールコーナーやベジタリアンコーナーが設けられていましたが、今

進化する コンビニ、スーパー

スーパーマーケットやコンビニエンスストアのハラール対応は急務です。

特に日本に暮らすムスリムにとっては、スーパーやコンビニでの食品調達はまさに生命線。彼らが安心して購入できる商品を陳列すべきですし、その情報を分かりやすく伝えていくべきです。

元来マーケット意識の高い業界なので、その対応スピードは目を見張るものがあるのですが､負けじとフードダイバーシティ社でも、幾つかの取り組みを行っています。例えば、NTTドコモとコラボレーションして行ったのは、スマートフォンで商品棚を撮影するだけで、どの商品がハラール対応しているかが分かる商品判定システムのアプリ開発。これは、いちいち商品を手にし、ハラール認証マークやピクトグラム（絵文字）を探さなくて済むので､ムスリムたちには「買い物がしやすくなった」と非常に好評です。今後は、ベジタリアン、ヴィーガン、アレルギー、グルテンフリーといった範囲にまで広がることが期待されています。

また、コンビニエンスストアについては、食品製造を行っている企業と連携し、商品自体のハラール化も進めています。

後はハラールワゴンやベジタリアンワゴンが登場するでしょう。

「キットカットはハラールですか？」

ウェブメディア「ハラールメディアジャパン」（現フードダイバーシティトゥデイ）を開設して間もない頃のエピソードです。

すぐに世界中のムスリムからたくさんのメールが寄せられてきたのですが、「日本にモスクはありますか？」「東京にハラールレストランはありますか？」といった相談を抑えて、最も多く寄せられた質問がありました。

「日本のキットカットはハラールですか？」

そんなメールです。

あまりにも多くこの質問がありましたので、私たちはどうなっているのかを調べ、何と答えるべきかを考えました。

ご存知の通り、「キットカット」はスイスに本社を置くグローバルカンパニー、ネスレ社によるチョコレート菓子です。世界中で販売されており、ASEANで販売されているものの多くはハラール認証*を受けています。

そうした馴染みある菓子を、ムスリムたちは「日本のキットカットだよ」とお土産に買って帰ります。ポテトチップスやソフトキャンディーなどでもよく見られますが、日本では、

＊ 専門の認証機関が食品やサービス等についてハラールであることを保証すること

菓子の「ご当地限定品」が多く発売されています。キットカットでもそうした「地域限定」「季節限定」があり、特に抹茶味がいちばん人気と聞きました。

さて、問題は、この抹茶風味のキットカットのパッケージにはハラール認証マークが付いていないことです。

「マークがないのだから、ハラールではないのではないか？」

「いや、世界のネスレがつくっている人気商品なのだから、そこはちゃんとハラールのはずだよ」

「食べるべきか、食べざるべきか……」

そんなコメントが飛び交うなかで、私たちはまず商品を入手し、成分表を英訳して彼らに伝えました。


植物油脂、ビスケット（小麦粉、砂糖、植物油脂、食塩）、乳糖、砂糖、小麦粉、全粉乳、抹茶ペースト、ココアバター、抹茶、ココアパウダー、イースト、カカオマス、乳化剤（大豆を含む）、膨張剤、重曹、香料、イーストフード、酸化防止剤（ビタミンE）

すると、ほどなく、さらに細かい質問が寄せられました。

「砂糖に牛骨粉は使われているのか」

「乳化剤は動物性のものも含んでいるのか」

「イーストフードは何を含んでいるのか」

そうです。彼らが重視しているのは、豚やアルコール由来のものは入っているのか、動物由来のものは入っているのかといった点なのです。もし砂糖に牛骨粉が使われているなら、その牛がどのように加工されたかが問題になってきます（詳しくは106ページ）。

私たちは、彼らの思いに応えたいとメーカーに直接問い合わせることにしました。

「ハラールメディアジャパンと申します。ムスリムのお客様から問い合わせをいただいているのですが、ハラール対応をされているのか教えていただけないでしょうか」

私は面倒がられるかもしれないと心配していたのですが、応対してくれた担当者は非常に丁寧に答えてくれました。

「最近はハラールに関するお問い合わせが増えています。日本では残念ながらハラール認証品を製造する計画はございませんが、こうしたお問い合わせには、そのつどお答えしています」

このやり取りをウェブサイトで公開すると、「調べてくれてありがとう」「ハラール認証品ではないのか……。残念」という声と共に、議論は次第に収束していきました。

ちなみにキットカットは、日本ではハラール認証を得ていませんが、自己判断で買っていく訪日ムスリムはたくさんいます。

キットカットにも劣らない人気があるのは東京ばな奈です。東京土産の代表格であるこの菓子はソフトな食感が人気で、甘いバナナがいかにも日本的だと一部のムスリムの間でも人気です。一部というのは、製造過程で洋酒を使っているためで、微量でも酒類を口にしたくないムスリムは食べません。

メーカーにとって酒類の使用がどれほど重要なのかはわかりませんが、こうしたもったいない話は枚挙に暇がありません。逆に言うと、知識をもって工夫すれば、一気に「おいしい」機会に変えることができるのです。

3

もしイスラム教徒がハラームを食べたなら？

ハラール食材についてセミナーをしていると、よく聞かれる質問に「イスラム教徒がハラールでないもの（ハラーム）を食べたらどうなるのか？」というものがあります。

答えは一様ではないのですが、私は「不快な思いをする」とお答えしています。

食べ物としてはなんら問題はないのですから、うっかり豚肉を食べたところで、ちゃんと衛生管理されていれば悪影響が出ることはありません。いや、実際のところは、「メチャクチャおいしい！」と思うムスリムもおられるようです。これは、大きな声では言えないですが。

ただ、おいしいかまずいかではなく、罪悪感が残ります。神がお許しにならないものを口にしてしまったという罪悪感から「おえッ」となる。そういう意味では心理的なもので、ほかの宗教・ベジタリアンの人たちも同じような感情を抱くといいます。

残念ながら「日本での食事はギャンブルのようなものね。何が入っているか分からないし、入れないでと言っても通じないから」と言う訪日客も実際にいます。せっかく日本に来てくれた人たちが「おえッ」となる気持ちにさせないようにしたいものです。

第 2 章

美食の国の不都合な真実

出典：国連人口部 2020年資料

食のダイバーシティをめぐる具体的なエピソードを第1章でご紹介しましたが、本章では、少し視点を変えて、世界における現在の日本の立ち位置とはどのようなものなのかを見ていきます。

私はここまで「日本は変わる必要がある」と何度も指摘してきていますが、なぜ変わる必要があるのでしょうか？　それを本章で示していきたいと思います。

本書は「食」をテーマにした本ですが、「食」の話だけでは単なるハウツー本です。基礎知識を得るだけのことで終わってしまうかもしれません。

そうではなく、私は２０２０年を契機に、日本の皆さんに、心底から「変わらなければいけない」と思ってほしいと望んでいます。

そのためには、変わる必要があるその理由をしっかりご認識いただくことが重要です。

そこで、日本の現状を分析するために、【人口】【生産性】【教育】【社会】の４つのテーマを設けました。以下、順を追って説明していきます。

人口

日本には今、課題が山積しています。財政赤字は増え続け、活力は落ち、これという展望もない。

そのような状況になった原因は多々ありますが、そのうちの特に大きなものとして、人口構成に起因している課題が大きいと考えることができます。

言うまでもなく日本は、少子化と高齢化が今なお加速しています。2019年現在での高齢化率（全人口における65歳以上の割合）は28・0％。よく言われる表現ですが、4人に1人が65歳以上の高齢者です。

対して2019年の出生数は86・5万人で4年連続で減少し、1899年の調査開始以来最少になりました。90万人を割り込むのは政府予想よりも2年早い結果となり、出生率（合計特殊出生率）は、1・36人に留まりました。適齢期女性が減少しているため、総数は年々減っています。

この傾向は変わらずに続くものと見られます。［図02］は国立社会保障・人口問題研究所が公表している人口ピラミッドですが、1990年と2060年推計を比較すれば、生産年齢人口（15歳〜65歳）がいかに減少するのかが一目瞭然です。生産人口にあたる方々が、自分たちの生活を維持しつつ、ボリュームある高齢者層を支えていかなければなりません。

もっとわかりやすいのが［図03］です。日本の総人口は明治の後半1900年代から増え続け、約100年でピークを迎えました。それが2010年から減少に転じ、今後100年間で100年前の4000万人から5000万人に戻ると予測されています。この先、一体どんな世界が待っているのか、誰にも想像ができません。

しかしながら、人口予測は経済予測よりも精度が高いと考えられています。10年後の経済

1990年

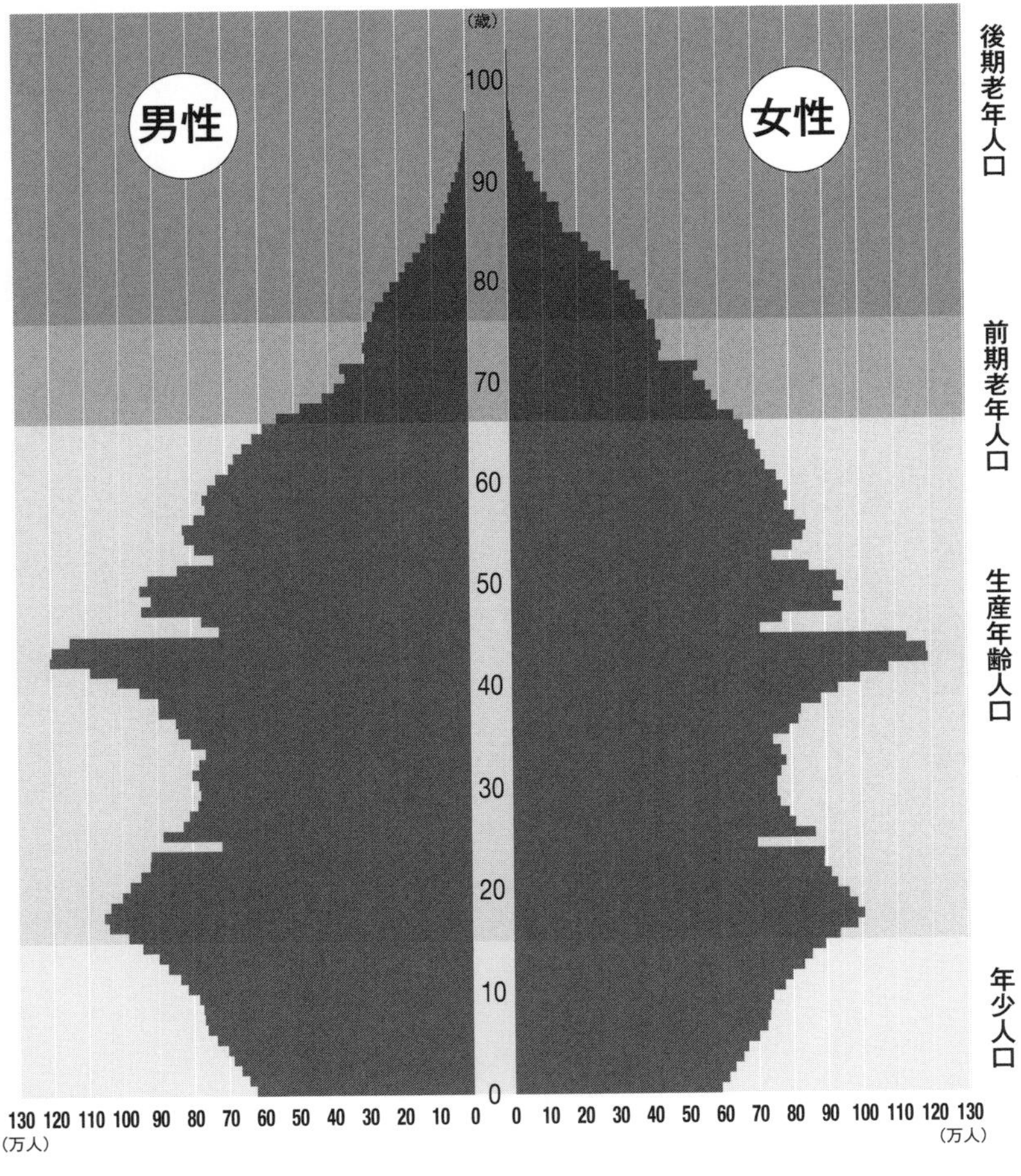

資料：1965〜2015年国勢調査　2020年以降　「日本の将来推計人口（平成29年推計）」

[図02] 人口ピラミッド

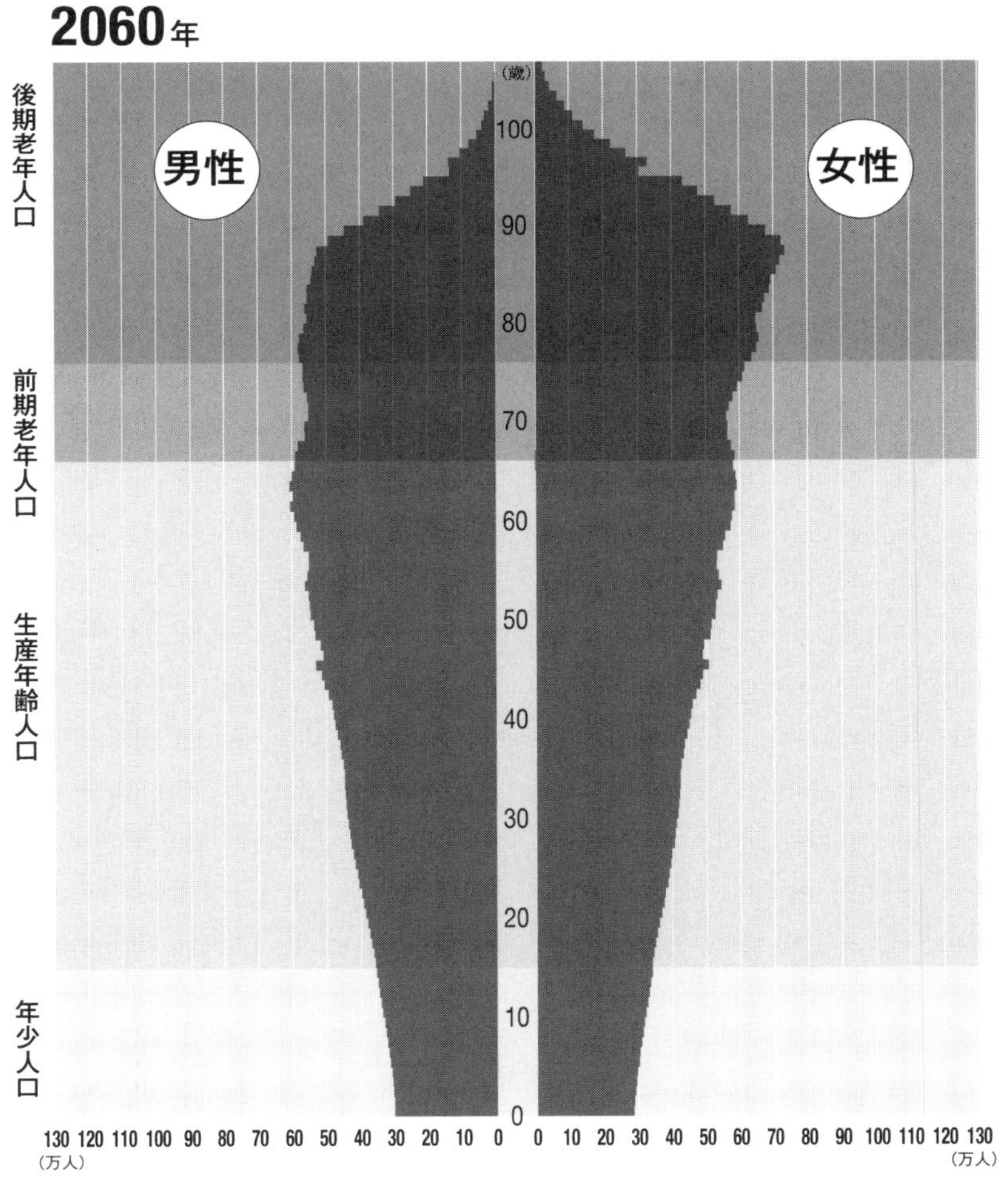
2060年
後期老年人口
前期老年人口
生産年齢人口
年少人口
男性
女性
(歳)
100
90
80
70
60
50
40
30
20
10
0
130 120 110 100 90 80 70 60 50 40 30 20 10 0
(万人)
0 10 20 30 40 50 60 70 80 90 100 110 120 130
(万人)

[図03] 日本の総人口の長期的推移

日本の総人口は、明治維新以降の約150年にわたって増加し2004年にピークを迎えた。が、今後は100年をかけて100年前の水準へ戻っていくとみられている。推計通りなら、世界でも類を見ない急激な減少となる。

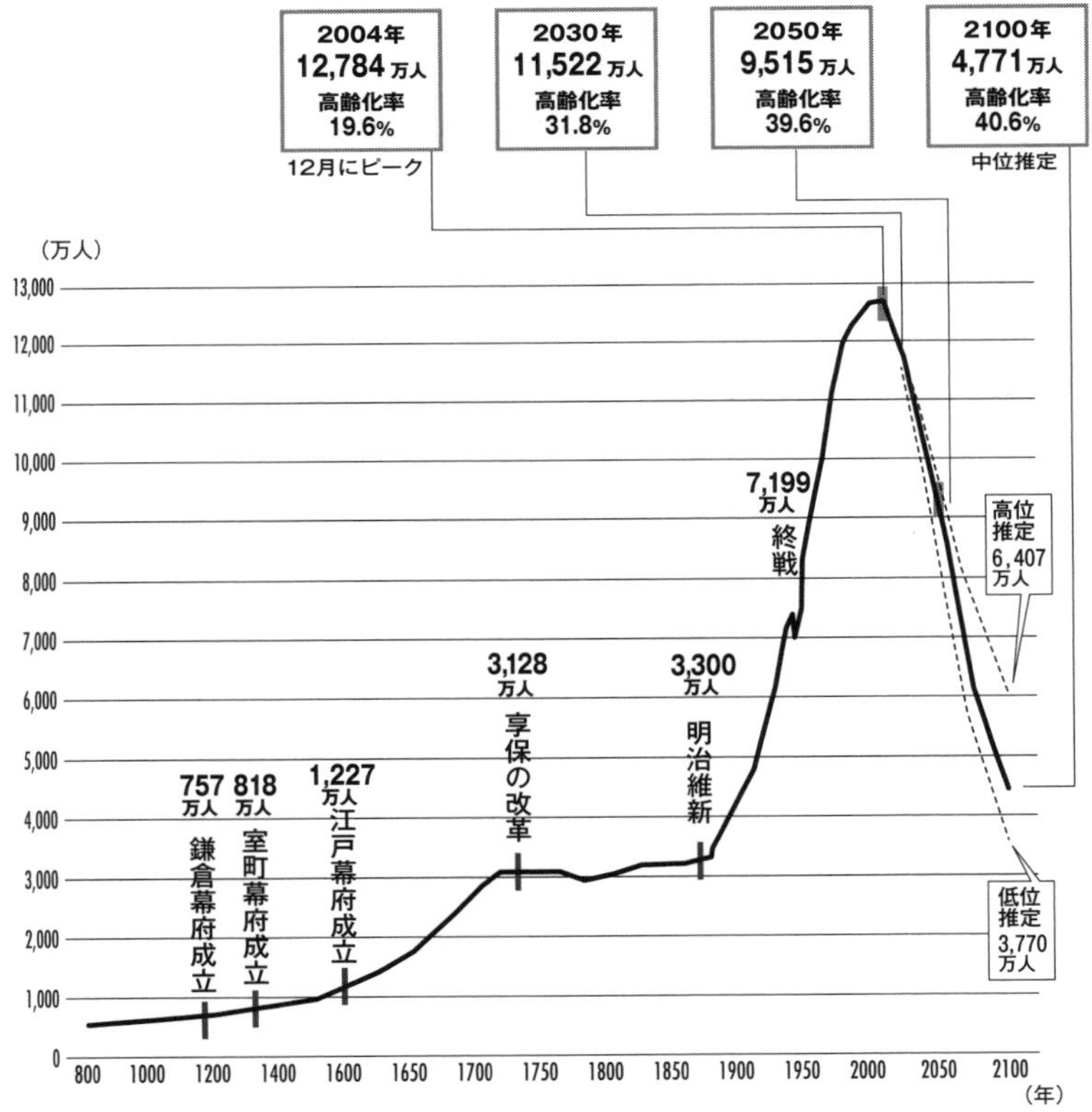

出典：「国土の長期展望」中間とりまとめ 概要（平成23年２月21日国土審議会政策部会長期展望委員会）

がどうなっているかは誰にもわかりませんが、10年後の人口は生まれてくる人の数と平均寿命からおおよそ予測できるからです。ただし、もし何も手を打たなければという前提がつきます。それは人口を日本以外から受け入れた場合です。

昨今、産業界では「労働者不足」が叫ばれ、不足する労働力として外国人に期待が高まっています。しかしそれは、外国で働いた経験がある私からすれば、少々ムシの良い願望に思えます。多くの日本人は、「労働力が足りないなら、稼ぎたいと思っている外国人に場を提供してあげれば?」というような、いわば〝上から目線〟でこの問題を捉えています。これはいかにも自分よがりな見方です。まずは、〝職場〟として、自分の会社が魅力的なのか。そしてそれ以前に日本が魅力的なのかどうかを冷静に見つめなければなりません。

「ジャパン・アズ・ナンバー1」と機会の窓

そこで、世界に目を転じてみましょう。

人口の観点から、「機会の窓」という言葉がよく使われます。

「機会の窓」とは、総人口に占める子ども(0~14歳)の比率が30%以下、かつ、高齢者(65歳以上)が15%以下の時に経済が飛躍的に成長すると見積もられている期間のことを指します。これは、アメリカの情報機関が分析したレポートで紹介されています。

この機会の窓は、かつて、日本にも該当した時期がありました。1965年から1995年までの30年間です。

このデータだけでも、皆さん、はっとしませんか？　１９６５年といえば、高度経済成長期のまっただ中。所得倍増計画が出されたのは１９６０年ですが、60年代の経済成長は、計画以上の成果をもたらしました。

一方、その経済成長の終わりが来たのは、一般的には「バブルが崩壊した」と言われた１９９１年と見られます。そこから日本経済は、「失われた10年」がさらに「失われた20年」となり、ついには、平成の時代に重なるこの30年間が「失われた30年」とまで称されるようになっています。

この符合を見れば、機会の窓がいかに経済動向において重要なのかがわかります。つまり、ジャパン・アズ・ナンバー1といわれた日本の経済成長は機会の窓が開いていたからだと考えられるのです。では、これから機会の窓を迎える国はどこなのでしょうか？

もう少しイメージしやすくするために、国連が公表している主要国の中位年齢（人口が半々に分かれる年齢）で見てみましょう。人口構成から割り出す中位年齢の２０２０年のデータでみると、世界全体での中位年齢は30・9歳となっています。このうち、最も年長なのは、なんと日本。48・9歳です。先進国全体では42・2歳、私が長く暮らしたシンガポールも42・2歳。米国は38・6歳です。

ひところBRICsと注目を集めた国々は、ブラジル33・4歳、ロシア39・5歳、インド28・1歳、中国は38・7歳、南アフリカは26・9歳となっています。ロシアと中国とブラジルはすでに世界全体の中位年齢を上回っており、機会の窓は閉じています。ブラジルは

2030年に機会の窓が閉じると評されていますが、実質は、すでに市場は成熟したと見るべきでしょう。

こう見ると、10年前にあれだけ騒がれたBRICsも、もはや過去のものとなっています。では、次に来るのはどこか？

それがイスラム諸国です。

ASEANの代表的なイスラム大国・インドネシアの中位年齢は世界平均を下回る27・8歳。同じくマレーシアは27・4歳です。そのほか、経済成長が期待される国として、ブルネイ（30・5歳）、アラブ首長国連邦（30・0歳）、オマーン（26・3歳）などが続きます。

仏教国、キリスト教の国にまで視野を広げると、フィリピンやカンボジア、ネパールなどきりがありません。ひとつはっきり言えるのは、こうした国々が国際的な競争力と経済力を持ったとき、人々は今よりももっと激しく世界中を行き来するということです。ビジネスでの交流だけでなく、これまでは経済力がなくて海外旅行ができなかった国の人たちが、どんどん外国に出ていくようになります。

そのようななか、日本はトップクラスの人気の旅行先です。多くの日本人は当たり前すぎて気付かずにいますが、地域によるシーズン特性があり、山があり海があり、古都があり、都会があるという日本は、多くの諸外国の方々にとって憧れの地なのです。

私が知るASEANの友人たちは「雪を一度でいいから見てみたい」とよく話します。彼らにとって、北海道や東北・信越地方のスキー場は、パリやラスベガスにも匹敵する人気なのです。

ともあれ、機会の窓がこれから開く（あるいは開き出した）、いわゆる発展途上国の国々は、人口増というエネルギーをフルに活かし、未整備のインフラ整備を一気に進め、近代化、都市化を図っていくことでしょう。その経済の爆発は凄まじいものになるはずです。

そのときに、果たして日本は、その経済発展の中に入り込めるのかどうか。

もし今のまま日本社会が変わらないのであれば、その答えは明確にNOです。かつては発展途上国を「工場」とし、その安い労働力を利用してさらなる経済発展につなげた日本ですが、今後迎える状況は、そのときとはまったく異なるものです。

どうも、その記憶を根拠に「ASEANへの市場参入はたやすい」とイメージしている日本人が多いように思われますが、その認識は相当に「ヤバい」です。現実を見誤っているとしか言えません。

「選ぶ側」ではないという認識はあるか？

では、何がかつてと今後とで違うのか？

その答えは簡単です。かつては日本が選ぶ側でしたが、今後は彼らが選ぶ側になるのです。

これまでの日本は、生産拠点や生産量、労働者などを選ぶ側にいました。だからこそ強気で彼らを選ぶことができました。

しかしこれからは、彼らが選択をし、日本が選ばれる側になります。当然そこには、「選ばれない」という可能性も含まれています。

もちろん、製品がずば抜けて優れているなら、選ばれ続けることは可能でしょう。では、選ばれ続ける製品を作るには何が必要か？　さまざまな要素がありますが、特に重視したいのは人材です。優れた人材がいなければ、良い製品、画期的な製品は生まれません。

実際私もシンガポールに住んでいた時に同僚となった20代前半のベトナム人女性に「日本は遊びに行くところであって、働きに行くところではない。キャリアにならないから」と言われたことがあります。彼女は、日本は外国人労働者・生活者にとってフェアではないと感じていたのです。その後彼女は英国で学位を修め、シンガポールに戻って豪州系の大企業で職を得ました。

では、優れた人材を集めるにはどうすれば良いのか。ハイレベルな競争、魅力的な報酬、快適なワークスペース、豊富なリソース、等々。分野にもよりますし、そのリストを挙げ出せば切りがありませんが、大切なことは、「そこで働きたい」と思わせる環境が用意され、適度な競争がそこで起こることです。

これからの日本経済においては、世界に向けた製品開発、サービス提供が不可欠なのですが、そうするには、日本人だけで発想していてはすぐに限界がきてしまいます。開発の段階から柔軟な発想が必要で、多様な価値観、多角的な視点、今までにない革新性が求められるからです。

ムスリムの市場規模は世界最大に

さて、ここで問題になるのが、第1章でも紹介したような日本の状況です。この国に、世界各国から優秀な人が集まってくれるでしょうか？

ここでもやはり、「選ばれない」という可能性が生じているのです。

話をもう一度、戻します。

イスラム教や仏教を信仰する国がこれから機会の窓を迎えるとお伝えしました。そして、彼らの文化や禁忌に対しての日本の認識、対応が遅れていることも、幾度となく指摘しています。

ここで1つ、確認しておくべき現実があります。彼らの市場規模です。

皆さん、イスラム教を信仰する人々が世界にどのくらいいるかご存知ですか？

イスラム教と聞くと、「あのテロを起こす連中か！」とまったく見当外れな過剰反応をする日本人がときどきいますが（愚かなことに、メディアでもそうした表現を堂々としていることがあります）、そうした反応を見るだけでも、いかに日本人がイスラム教に対して無知であるかがわかります。

無知であるだけでなく、関心さえ寄せていない人が多いです。彼らが何を信仰して、どんな生活を送っているのか。どんな言葉を話し、何を好み、何を食べているのか。それこそ、彼ら自身はテロについてどう考えているのか。そうしたことに興味を持たない日本人が少なくありません。

結局のところ、彼らと触れる機会がほとんどないということが大きな原因なのでしょう。イスラム教については第3章で詳しく触れますが、世界の三大宗教の1つであるイスラム教は、人口規模でいうと18億人に達します。キリスト教が23億人、仏教が5億人であることからも大きな数字です。さらに注目すべきなのは今後の増減の推計です。

前述した通り、イスラム教を信仰する国・地域の中で、これから機会の窓を迎えるところが少なからずあります。その結果、2030年には約22億人にまで増える見込みで、イスラム教は2070年には世界最大規模の宗教になっているとみられています。それも、ただの人口増ではなく、経済力を付けながらの人口増が期待されているのです。

これだけの人口規模は、市場として魅力的です。例えば、ヘルシーな日本食を健康意識が高まっているムスリム（イスラム教信徒）向けに製品化すれば、世界で一挙に広まることも夢ではありません。ファッションの世界では、すでにモディストファッション*という分野が定着しています。ここにはシャネルやグッチといった世界のラグジュアリーブランドも参入し、例えば、ムスリマ（女性のイスラム教徒）たちが着用するヒジャブやドレスをファッショナブルにデザインして支持を得ているのです。

こうした動きに、日本企業の反応はにぶいです。一部の企業は果敢にチャレンジしていま

* **肌の過度な露出を避け、「ボディコンシャス」とは逆に身体のラインを緩やかに包むスタイルのファッション。ムスリマ向けデザインからユニバーサルなものへと進化している。**

イメージの中のテロリスト

2018年5月。アメリカのトランプ大統領が在イスラエル米大使館をテルアビブからエルサレムへ移転すると発表し、世界が騒然となりました。エルサレムはユダヤ教、キリスト教、そしてイスラム教の聖地とされていて、それぞれが自分たちの土地だと主張しているからです。

そうしたとき、ある一枚の写真が世界で話題になりました。ムスリムと思われる男性が一枚のプラカードを持っていて、そこにはこう書かれています。

> 私はムスリムだ。シリアとイラクでISISに殺された。パレスチナでユダヤ教徒に殺された。カシミールでヒンドゥー教徒に殺された。ミャンマーで仏教徒に殺された。アフガニスタンとアフリカでキリスト教徒に殺された。そして私は今でも「テロリスト」だと呼ばれている。

このメッセージが反響を呼んだのは、ムスリムはどれだけ迫害されてもテロリストと呼ばれるが、その他の宗教信者はテロリストと呼ばれないという点です。確かにキリスト教テロリスト、仏教徒テロリストという表現は聞いたことがありません。

よく知ろうとしないまま、イメージだけで「イスラム教＝テロ」「ムスリム＝過激」と決めつけている人が少なくありませんが、ムスリムの基本的な価値観は、すべて聖典クルアーンによっています。クルアーンが定めるのは、神を信じて生きる謙虚さと、収入の一部を困窮者に施す「喜捨」の精神です。それを従順に守る方々が、過激であるはずがありません。

イスラム原理主義に対しては、ムスリムたち自身が恐れ、怒り、嫌っています。テロに巻き込まれたムスリムも数多くおり、彼ら自身が被害者なのです。

すが、束にならない分、かつての「ものづくりニッポン」「電化製品は日本製がベスト」「日本製自動車は壊れない」といったブランディングにつながっていきません。グローバル社会では国を背負ってブランディングする必要などないのかもしれませんが、国として一定の存在感を見せなければ、結局はイスラム諸国だけで市場がシェアされていくように思われます。同胞を大切にする彼らゆえに、「ムスリムのものは、ムスリムの手による製品がいちばん」という意識はもともと強いのです。そこに割って入るには、やはり、日本ならではの何か、が武器になるように思います。

海外に出たことがある日本人ならおわかりと思いますが、世界の多くの人々は、日本に対してとても好意的な、良いイメージを持ってくれています。誠実さ、ホスピタリティ、フレンドリーシップ、食や生活のヘルシーさ、堅実なものづくり――。

ASEANでの生活が長かった私からすると、これらのイメージは、私たちの先輩が築いてくださったものだと感じます。企業から派遣され滞在した彼らが、現地で誠実に人々に接し、堅実な暮らしぶりを見せたからこそ、今もASEANの人たちは、日本人や日本企業に愛着を持ってくれているのです。

私はASEANの至るところで、「カトウさんは元気だろうか?」「昔、ヤマダさんにお世話になったなぁ」といった声を聞きました。初対面のビジネスマン、タクシードライバー、中には、フットマッサージの方もいました。彼らはかつて現地の日系企業で働いた経験があり、上司や同僚だった日本人を今でも覚えているのです。

こんなことも言われました。「日本はＡＳＥＡＮを見捨てなかった」と。どういうことかと聞くと、「戦後にインドネシアがオランダから独立しようとした時、日本兵が現地に残って一緒に戦ってくれた。90年代のアジア通貨危機の時は、欧米の企業は工場を閉鎖したり撤退したところが多かったが、日本企業はほとんど残ってくれた。リーマン・ショック後の金融危機の時もＡＳＥＡＮへの投資を続けてくれた。だから日本が好きなんだ」と。

こうした良いイメージは、そのイメージが残っているうちに、うまく活用していくべきです。せっかくのポテンシャルがあるのに、それを活かせないまま、いつまでも過去の栄光に浸っている……。今の日本は、そんな状態にあるといわざるをえません。

生産性

世界の中の日本のポジションを、生産性の面から見てみましょう。たとえ人口減や高齢化があったとしても、生産性が向上していれば問題はありません。生産性とは簡単に言えば効率的にモノとカネを生み出せているかの指標です。

では、何を基準に生産性を見るか。そのデータはさまざまです。幾つかピックアップしてみます。

まず、スイスのビジネススクールＩＭＤ（国際経営開発研究所）が毎年公表している世界競争力ランキングがあります。日本経済が過去最高の株高3万8915円を記録した1989年には、このランキングで日本はみごとに第1位に選ばれています。

では、30年を経た2020年ではどうか？　結果は過去最低の34位です。アジアでも、シンガポール、香港、台湾、中国、韓国、マレーシア、タイよりも評価が低かったのです。1位から30位への転落は、何を物語るのでしょうか。

1989年の「世界の企業時価総額ランキング」を見ると、1位はNTT、2位は住友銀行、以下、日本興業銀行、第一勧業銀行、富士銀行と銀行が続き、6位のIBMを挟んで、三菱銀行、8位にエクソンモービルを挟み、東京電力、三和銀行と、実にトップ10に8社がランクインしていました。バブル経済のピークだけに銀行が強かったという見方もできますが、いずれにしても、日本経済が世界を席巻していたのは間違いありません。

ところが、これが2019年になると様相がまるで異なります。上位を占めるのは、マイクロソフト、アップル、アマゾンなどアメリカ企業が8社。7位にアリババ、8位に世界最大のゲーム会社・テンセントという中国の2社が入っています。日本企業はゼロ。日本企業の最高位は豊田自動車の42位でした【図04】。

これだけを根拠に論じると暴論になってしまいますが、少なくともこの30年で、産業構造が大きく変わったということはいえるでしょう。2019年の上位はIT系が占めています。残念ながら日本は、この潮流に乗り遅れたといわざるをえません。

また生産性と聞いて多くの人が思い浮かべるのはGDP（国内総生産）でしょう。では

[図04] 株価総額ランキング表

1989年
3月末

順位	会社名	時価総額	国名
1	日本電信電話	183	日本
2	住友銀行	76	日本
3	日本興業銀行	73	日本
4	第一勧業銀行	69	日本
5	富士銀行	68	日本
6	IBM	65	米国
7	三菱銀行	62	日本
8	エクソン・モービル	60	米国
9	東京電力	59	日本
10	三和銀行	54	日本

2019年
9月末

順位	会社名	時価総額	国名
1	マイクロソフト	1,061	米国
2	アップル	1,012	米国
3	アマゾン	858	米国
4	アルファベット	845	米国
5	バークシャー・ハサウェイ	509	米国
6	フェイスブック	407	米国
7	アリババ	432	中国
8	テンセント	407	中国
9	JPモルガン・チェース	376	米国
10	ジョンソン＆ジョンソン	341	米国
42	トヨタ自動車	190	日本

単位／10億ドル

出所 プレジデント社「日本の論点2020～21」大前研一著

[図05] GDPの推移

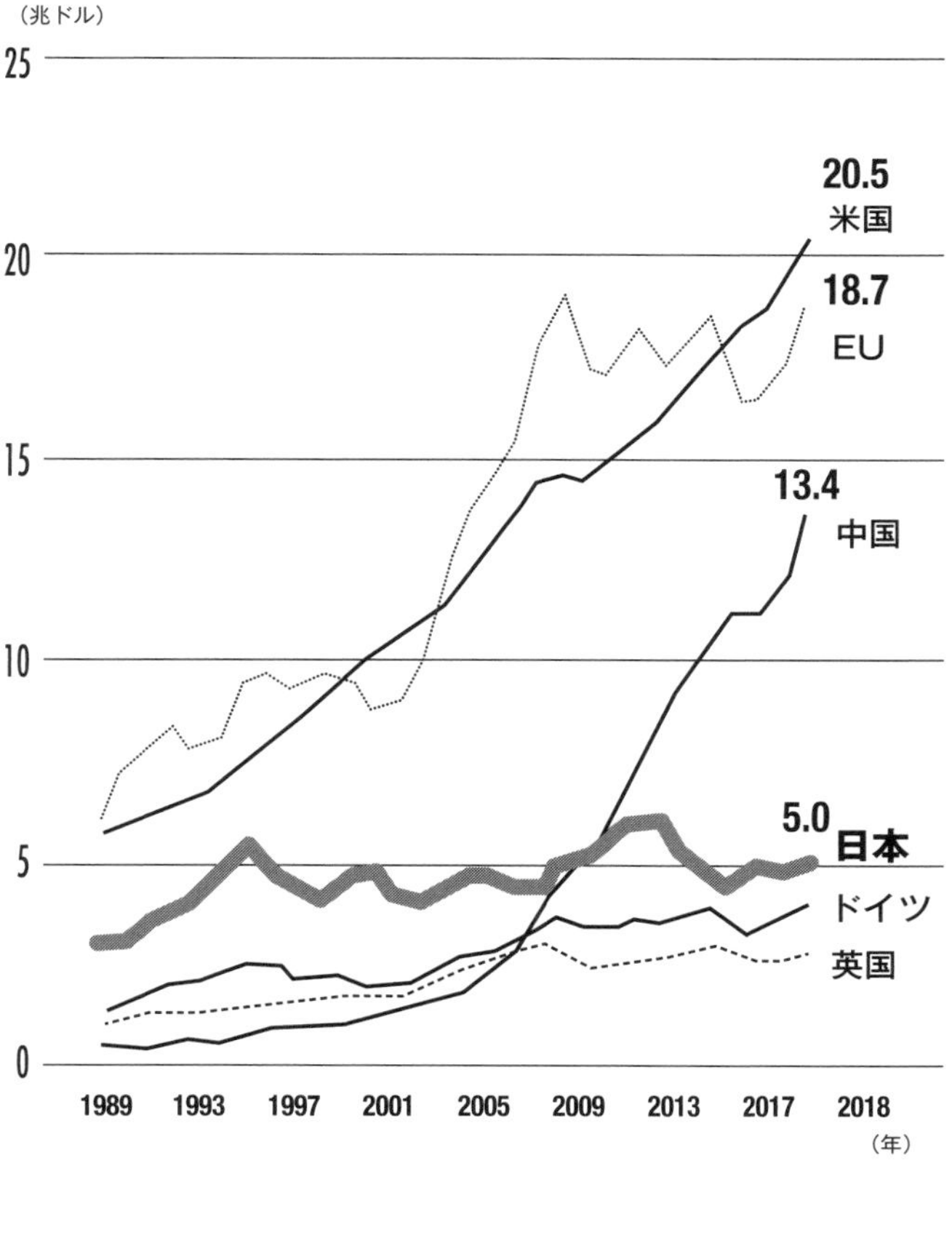

資料：BBT大学総合研究所

GDPはどのように推移しているのか。これについては［図05］をご覧ください。中国の伸び方は私たちもよく知るところですが、アメリカだけでなく、実はEUも4倍近く上昇させていることがわかります。

この中にあって、日本の伸び方は寂しい限りです。バブル経済の崩壊後、「失われた30年」といわれ、出口の見えない平成時代でしたが、一方でこの30年間で、日本の人口は320万人以上増えています。それらを勘案すると、経済の衰退傾向のなかでなんとか踏みとどまっている、と見るべきではないでしょうか。

「勤勉さ」では計れない生産性

というわけで、より正確に生産性を確かめるには国民1人当たりの労働生産性を見る必要が出てきます。その数値はどうか。

結論をいえば、日本の1人当たりの名目GDPは約3万9000ドルで世界26位（2018年）です。中国のような人口が多く、貧富の格差が激しい国の場合は、国民総生産は高くなりますが、1人当たり換算では70位と正味の力が出ます。

従ってこの場合は、日本は先進国が比較対象国となってきますが、9位のアメリカを筆頭に、先進各国は日本よりも上位に名を連ね、唯一イタリアが、日本の直下、27位にランクしています。イメージでは、日本＝勤勉、イタリア＝遊び優先、となるため、これは真面目に働く日本人としては看過できない結果でしょう。

[図06] 平均月収の比較

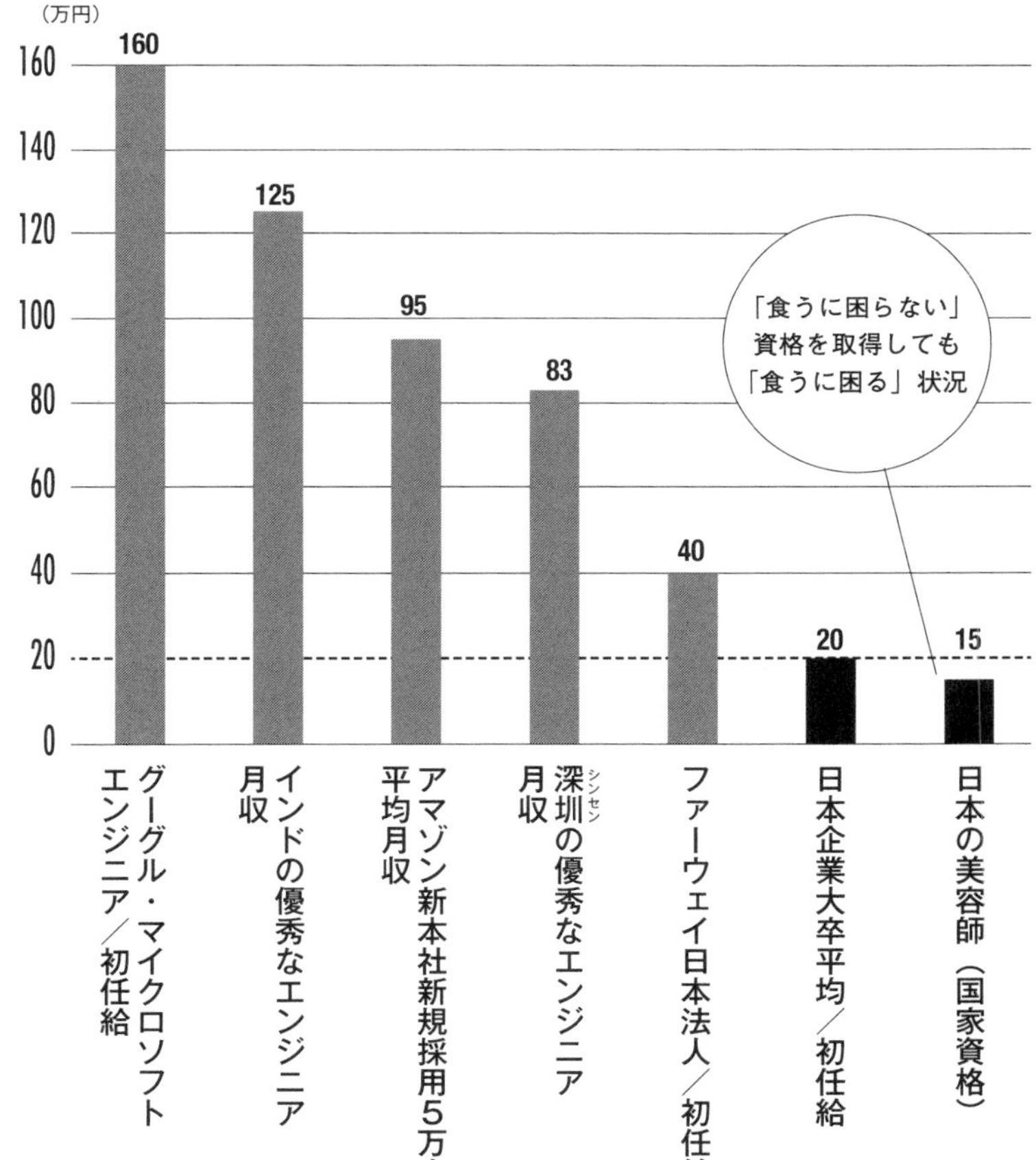

資料：労働生産性の国際比較　日本生産性本部、BBT大学総合研究所

これと併せて注目したいのが名目賃金です。労働に対してどのような対価が得られているかの指標ですが、1995年を「100」として基準に見たとき、なんと日本は2015年時点でマイナスです。つまり、同じ労働をしたときに、1995年よりも2015年のときのほうが報酬が低いということになります。

これに対してアメリカやユーロ使用圏では、きれいに右肩上がりを見せ、20年でほぼ倍になっています。［図06］は平均月収の比較ですが、エンジニアたちの高収入はともかくとして、日本の美容師の月収の低さはいったいどうしたことでしょう。保育士や介護職の給料の低さなどもよく問題になりますが、日本では、努力して資格を得て就職を果たしても、生活が苦しい状況を強いられることが見て取れます。

こうしたデータから判定すると、日本は、生産性が低く、報酬も低い。そのように見ざるをえません。

ここまで来たら、ついでに借金も見ておきましょう。

日本の借金は1100兆円以上あり、国民1人当たりで割ると約850万円の借金を背負っている——とよく言われますが、実際のところ、日本の借金は深刻なレベルにあります。各国債務の対GDP比での比較でも日本が飛び抜けて多い238%。完全な債務超過といえるでしょう。

最後のトドメにもうひとつ。今後の世界経済の予測というデータがあります。地域別GDPの構成予測ですが、これによると、2010年に世界の5・8%のシェアを持っていた日本が、２０５０年には１・９％になると見られています。ほぼ3分の１への縮小です。

対して、拡大しているのがアジアです。アジアには、むろん中国の存在感が大きいですが、ＡＳＥＡＮの伸びも含まれています。これらから総じていえるのは、世界の中での日本の存在感がどんどん薄まっているということです。

教育

これらのデータに直面すると暗澹たる気分になりますが、だからといって、見て見ぬ振りをするわけにはいきません。なぜこのような競争力の低下、経済力の相対的衰退が起こったのか。まずはそれを考えなければなりません。

実際のところ、なぜここまで長期にわたって国力の低下が続いているのでしょうか。

私は日本の高齢化が最大の原因であると考えています。高度成長期にあった１９７０年の日本人の中位年齢は28・８歳でした。それから20年後のバブル経済のピークであった１９９０年は37・３歳でした。それが２０２０年には48・９歳です。２０２０年の全世界は30・９歳ですので、日本の高齢化が確認できます。

高齢化した日本にとって、21世紀の世界的な情報社会の発展スピードは速すぎて、ついていけなかったのだと思います。世界は巨大なプラットフォームを軸に英語でコミュニケーショ

[図07] 移民の比率

OECDの流入・流出移民の対人口比率（%、2010年）

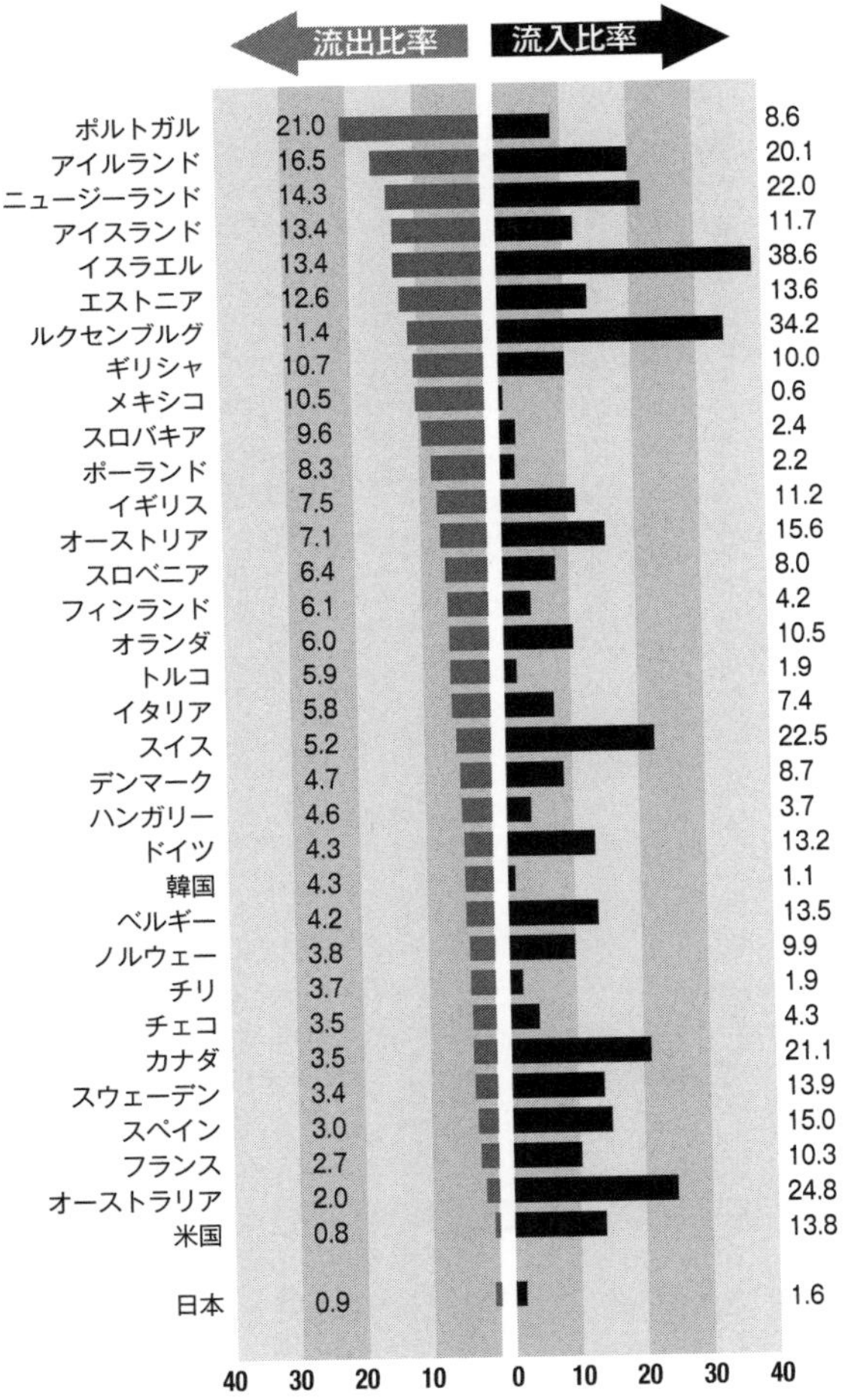

資料:「海外在留人数統計」外務省、World Bank、BBT大学総合研究所

ンを取り、次々に新しい産業を生み出し市場を拡大させていったのです。20世紀に大きな成功体験を得た日本は21世紀における戦略と判断を見誤り続け、いつしか先進国で唯一20年間所得が増えない国になってしまったのです。

では他の先進諸国はどうしているのでしょうか。ヒントになるのは移民です。［図07］をご覧下さい。これは先進国クラブとも呼ばれるOECD（経済協力開発機構）各国の人口に対する移民の比率を示したものです。全体的に流入が流出を上回っている国が多い中、日本だけが極端に出て行く人も入ってくる人も少ないことがわかります。OECD諸国の多くも高齢化しているのですが、日本と異なる点は移民を積極的に受け入れてきたことです。近年はそれが短期間かつ急速に進んでしまったため、移民受け入れ反対の動きもありますが、移民は各国で重要な労働力となって国力の維持に貢献しています。

高齢化だけが国力低下の原因ではないでしょうし、人によって見解も分かれることでしょう。移民と高齢化は関係しないという意見もあるかもしれません。確かに、経済誌などで国力低下の原因としてよく指摘されるのは、産業構造の変化への対応の遅れや、国民性ともいうべき内向き志向があります。

産業構造の変化に乗り遅れた日本

産業構造については、先にも触れた通り、家電や自動車などの「ものづくり」からインターネットを駆使したサイバー経済、ボーダレス経済に変化していったわけですが、日本は明らかにその対応が遅れました。

遅れた原因は、高度成長期の成功体験にあったのだといえます。その成功体験があまりにも鮮烈だったため、なりふり構わず新しいものにチャレンジするという方向に進みませんでした。

バブル経済の恩恵に浴したのは、1947年から49年の間に生まれた約800万人の「団塊の世代」でした。株価が最高値をつけた1989年の彼らの年齢は、40歳から42歳です。働き盛りの彼らは、結果が出やすい時代の中で働く喜びを感じたでしょうし、自分たちのやり方に何の疑いも持たなかったことでしょう。出世競争のポストも絞られ出し、冒険をしにくいという状況もあったことと思います。

結果、バブル経済が崩壊しても同じやり方を続け、やがて定年が見えてくるなかで、日本経済全体よりも自分の報酬や定年後に関心を向けていきます。リストラによるスリム化で多少の痛みを引き受けるほうが、社運をかけたイノベーションよりも安全だ——。そんなふうに発想することは自然のことなのかもしれません。

むろん一人ひとりは志を持ち、日本経済のために尽力されたことと思いますが、しかし総論としてまとめれば、やはりこのような評価になります。日本の産業構造が変わらなかった原因のひとつには、やはり、本章の冒頭で指摘した「人口」の問題が横たわっているのだといえます。

それからもう1つ、内向き志向も、「人口」と結びついています。それは端的にいえば、

1億人という規模の大きさです。1億人という人口規模があれば、経済は国内だけで回すことが十分に可能です。日本は地勢的にも東端の島であり、リスクを負って世界に打って出る必要がなかったのだといえます。

日本が小国から学ぶ点

この話の延長でよく語られるのが北欧ですが、福祉国家として名高い彼らは、実は世界的企業を幾つも輩出しています。フィンランドの有名企業といえば「ノキア」がありますし、デンマークならなんといっても「レゴ」があります。また、家具や陶磁器の関連で、「イルムス」や「ロイヤルコペンハーゲン」などもよく知られています。スウェーデンからは「イケア」や「ボルボ」が日本でも人気です。

有名どころをピックアップしただけだろうと反論されそうですが、彼らの人口が、フィンランド＝536万人、デンマーク＝555万人、スウェーデン＝938万人と知ったらどうでしょうか？　1000万人もいない国家から、世界規模の企業が数々生まれているのだと評価が変わってくるはずです。

彼らがもし内向き志向の企業経営をしていたなら、「レゴ」のような世界規模の事業には育たなかったはずです。彼らは国内のマーケットが小さいことを認識しており、海外を常に意識しています。

北欧諸国はそれぞれに固有の言語を持っていますが、ほとんどの人がふつうに英語を話します。英語習得を目的にした北欧への留学プログラムが充実していることからも、それらははっきりと見てとれます。

ちなみに、北欧諸国ではテレビ番組も多くは英語で放送されています。ここには2つの要因があり、ひとつは少ない人口のために独自に番組を作るよりは英語の番組を放送するほうが効率的ということ、もうひとつは語学習得が前提になっていることがあるそうです。つまり、英語は話せて当然ぐらいの認識です。モノを売るにせよ、買うにせよ、彼らは外国と交渉することが当たり前という環境に身を置いているのです。

同じ例を、今度は、私がよく知るシンガポールでも見てみましょう。

多民族国家であるシンガポールの公用語は、マレー語、標準中国語、英語、それからタミール語です。しかし、民族色の強いマレー語、標準中国語、タミール語では不足があるため、共通語として英語が使われています。「シングリッシュ」と聞いたことはありませんか？シンガポールでの英語を揶揄した、あまり好ましくない言葉ですが、実際にシンガポールでは、英語の中にときどきマレー語や中国語が交じるという、ユニークな英語が話されることが少なくありません。

しかしともあれ、重要なことは、ほとんどの人が2言語、3言語をふつうに用いているということです。

シンガポールの人口は、先の北欧諸国と同等の約600万人です。国土は奄美大島ほどの小国です。

彼らは、隣国のマレーシアから捨てられるような格好で1965年にやむなく独立しました。独立当時の人口はわずかに189万人。資源がなく、水さえも輸入に頼るという有り様でした。そんなか弱い国が、どのように国家運営を行っていったのか。キーワードは「ダイバーシティ=多様性」です。

これといった産業がない彼らにとって、できることといえば、人々の交流を促し、金融都市、貿易・交通拠点、観光国家として存在感を獲得することでした。そのために彼らは、国、人種、言葉、文化、習慣、宗教などあらゆる異なったものを積極的に取り込んだのです。

その象徴的な成果に、MICEがあります。

MICEとは、ビジネス旅行のひとつのこと。社員の研修旅行や、展示会への見学ツアーなど、皆さんも参加されたことがあるのではないでしょうか。会議(Meeting)、報奨・研修旅行(Incentive Travel)、国際会議(Convention)、展示会・イベント(Exhibition/Event)からの造語です。

MICEは経済効果が高く、外貨獲得の大きな機会になるため、アジアにおいては東京、大阪はもちろん、上海や香港など各都市間で激しい競争が繰り広げられています。いま、アジアでそのトップに立つのはシンガポールです。ちなみに、東京は2位。東京の実施件数が131件だったのに対し、シンガポールは148件も行っています(2019年)。

この事実が証明するように、アジアのハブとして、国際都市として、シンガポールは絶大な存在感を放っています。ちなみに、先述の世界競争力ランキングの最新データでは、シンガポールが見事に1位に輝いています。それは、自然にそうなったのではなく、彼ら自身が生き残るために戦略的に国を造ってきた結果なのです。

多様性が生む競争力

では、その戦略を実現可能にしたものは何か。それは、多様性を取り込むための土壌作りです。

さまざまなバックボーンを持つ人たちが行き交う都市にするために、シンガポールは、英語を公用語に組み入れ、ハラール対応を始め、ムスリムフレンドリーな環境を整えています。シンガポール自体はムスリムマイノリティー（非主流）の国ですが、非イスラム諸国の中でも有数のムスリムフレンドリーな旅行先として評価されています。

北欧とシンガポールの2つの例は、片や外に出ていくため、片や外のものを取り込むため、と、その志向性に差異は見られますが、手法は同じに見えます。つまり、他者を受け入れるための自己変革です。

もう皆さんお気づきとは思いますが、私が日本で最も問題に思うのは、この部分なのです。日本はまったく変わろうとしない。郷に入っては郷に従えの精神で、日本国内で外国の文化や風習を尊重し、受け入れるということを拒絶しているように見えます。そのかたくなさは、あたかも、それをすることで日本の良き文化が失われるのではないかと、理由なくおびえているようにさえ思われるほどです。

[図08]】世界能力ランキング

		前年比順位	総合評価			前年比順位	総合評価
1	スイス	-	100.00	21	キプロス	-6	71.35
2	デンマーク	-	90.80	22	マレーシア	-	70.82
3	スウェーデン	+5	86.94	23	ポルトガル	-6	69.80
4	オーストリア	-	86.91	24	イギリス	-1	69.09
5	ルクセンブルグ	+4	86.65	25	フランス	-	68.53
6	ノルウェー	-3	85.95	26	カタール	-2	67.36
7	アイスランド	+9	85.15	27	エストニア	+1	66.88
8	フィンランド	-1	83.14	28	リトアニア	+8	66.51
9	オランダ	-4	81.81	29	サウジアラビア	+5	65.71
10	シンガポール	+3	81.80	30	UAE	-4	65.69
11	ドイツ	-1	80.78	31	スロベニア	-1	64.16
12	米国	-	79.24	32	スペイン	-1	63.59
13	カナダ	-7	78.63	33	韓国	-	62.54
14	ベルギー	-3	78.42	34	ラトビア	+1	62.08
15	香港	+3	78.14	35	**日本**	-6	**61.59**
16	オーストラリア	-2	76.41	36	イタリア	-4	60.79
17	ニュージーランド	+3	75.57	37	ポーランド	+1	58.83
18	アイルランド	+3	73.29	38	カザフスタン	+2	57.98
19	イスラエル	-	73.26	39	チェコ	-2	56.92
20	台湾	+7	71.56	40	ギリシャ	+4	54.77

資料 IMD World Talent Ranking 2019

グローバル化が叫ばれて久しいですが、ITの目覚ましい発展により世界がますますダイナミックに動くなか、他者との交流が未熟な国は、どんどん競争力を失っていきます。それが見事に反映されているのが、世界能力ランキングです［図08］。その1位は、国内に4つの言語が行き交うヨーロッパの中立国・スイス。続いて、北欧のデンマーク、スウェーデンと続きます。ノルウェー、フィンランドもトップ10にランクイン。そしてシンガポールは10位。はたして日本は……35位です。

これが、「空前のインバウンド景気」と言われた「コロナ以前」の日本の真の姿なのです。

各種調査から見える若者の姿

この差は、本当に「交流」「多様性」が原因といえるのか？　その問いに答えるのが旅券（パスポート）取得率です。

パスポートについては各国の事情が異なるため単純比較はあまり意味を成しませんが、日本国内での発行数の推移からは、ある種の傾向を見ることができるでしょう。

日本のパスポート発行数は1996年をピークに一時ぐっと下がり、現状では年間約400万冊という数に落ち着いています。

さらに、海外駐在についても調べてみましょう。産業能率大学の調査では、「海外で働きたいですか？」という問いに対し、「働きたいと思わない」と答える人の割合が2001年の29・2％から15年で30ポイント以上も増えて63・7％に達しています。

では、働くことよりはハードルの低い留学はどうでしょうか?

留学（主に大学生を対象）については、留学者支援プログラム「トビタテ!留学JAPAN」などを仕掛ける文部科学省が興味深い2つの調査結果を公表しています。

ひとつは、（独）日本学生支援機構による調査結果で、このデータでは、2009年の3万6302人から、2017年の10万5301人まで、きれいに右肩上がりで上昇しています。少子化が進むなかで考えれば、なかなか良い傾向と見えます。

一方で、OECD等による統計データでは、2004年の8万2945人をピークに、2016年では、5万5969人と減少しています。2つのデータが数も推移もまるで違うのは、「留学」の定義にあるようです。よく見ると、興味深いことに気付きます。内訳として大きく増えているのは、1カ月未満の短期留学。これは2009年度の1万6873人から2017年度の6万6876人まで約4倍に増えているのに対し、6カ月以上1年未満は1・6倍増、1年以上は1・9倍増に留まっています。

行き先も、中国、韓国、台湾といったアジア圏が存在感を示しています。経済的な理由も大きいと思いますが、近場で、短期で、という傾向が見て取れます。「留学の実績があると就職で有利」といった、ある種の打算が働いているのかもしれません。

このように指摘するには理由があります。国立青少年教育振興機構が2019年に公表した「高校生の留学に関する意識調査報告書」というデータでは、日本、アメリカ、中国、韓国の4カ国中、「留学したい」という回答率は日本が最も低いという結果が出ています。「留学したい」という比率が低いだけでなく、「外国への関心」の項目でも最も低い値となっています。留学もなにも、そもそも外国に興味がない、というわけです。

驚きの「留学したくない理由」

では、なぜ留学したくないのか、の理由ですが、日本人高校生が最も多く回答したのは「日本のほうが暮しやすいから」(54％)です。

でも、これ自体はそこまで問題には思いません。アメリカ人だって、「母国のほうが暮しやすい」という回答を多くしています(54・8％)。外国よりも母国のほうが暮しやすいのは当然でしょう。

私が問題に思うのは、日本人高校生が4カ国比で最も多く答えている、次の2つです。ひとつは、「外国で一人で生活する自信がないから」(48・1％)。もうひとつは、あろうことか、「面倒だから」(31・2％)です。

この2つの回答から見えてくるのは、大人に甘やかされてしまった若者の姿です。比較的治安が良く、飲食に困ることはなく、日本語が話せれば不自由することはまずない――。要するに、現状に満足し、内にこもって何も考えずに生活できてしまうのです。かつての若者たちは、小田実《まこと》さんの『何でも見てやろう』ではないですが、反骨精神を持ち、旺盛な好奇心で飛び回り、ときに若気の至りで無茶をし、そんな武勇伝を大切にしながら経験を重ねて「大人」になっていったように思います。

むろん、それらのやっかいな面もたくさんあるのですが、若者がチャレンジ精神を持たずに「一人で生活する自信がない」「面倒」といって内向きになるとはどうしたことでしょうか。

若者の学力調査では3年ごとに世界中（2018年は79カ国・地域）で行われるPISAがよく知られていますが、この最新の2018年結果では、日本の15歳が自由記述式問題を苦手としていることが話題になりました。自分の考えを他者に根拠を示して伝えることが苦手――というわけですが、この能力こそまさに、他者との交流、多様性の中で磨かれるものです。今の日本社会において、この部分が圧倒的に世界に遅れていることがわかります。

低下しつづける東大の世界ランキング

「自分が」という主体性が欠けてきていることは、世界大学ランキングにも見ることができます。大学での学問こそ、自分で学び、発想し、発信していく場だと思いますが、日本の大学は、その競争力を失っています。

イギリスの高等教育専門誌が毎年発表している「世界大学ランキング」の2020年版では、トップ10のほとんどをイギリスとアメリカの大学が占めています［図09］。アジアで最初に登場するのは23位の清華大学（中国）です。続いて、24位の北京大学（中国）と25位のシンガポール国立大学（シンガポール）があり、35位に香港大学（香港）が出てきます。日本が誇る東京大学は？　その登場は、ようやくの36位です。

ちなみに、100位以内のランキングでみると、日本の大学は、東京大と京都大（65位）

[図09] 世界大学ランキング（2020年）

順位	大学名	国名
1	オックスフォード大学	英国
2	カリフォルニア工科大学	米国
3	ケンブリッジ大学	英国
4	スタンフォード大学	米国
5	マサチューセッツ工科大学	米国
6	プリンストン大学	米国
7	ハーバード大学	米国
8	エール大学	米国
9	シカゴ大学	米国
10	インペリアル・カレッジ・ロンドン	英国
11	ペンシルバニア大学	米国
12	ジョンズ・ホプキンス大学	米国
13	カリフォルニア大学・バークレー校	米国
14	スイス連邦工科大学チューリッヒ校	スイス
15	ユニバーシティ・カレッジ・ロンドン	英国
16	コロンビア大学	米国
17	カリフォルニア大学・ロサンゼルス校	米国
18	トロント大学	カナダ
19	コーネル大学	米国
20	デューク大学	米国
23	清華大学	中国
24	北京大学	中国
25	シンガポール国立大学	シンガポール
35	香港大学	香港
36	東京大学	日本
65	京都大学	日本

資料: The Times Higher Education World University Ranking 2020

の2校がランクインしているだけです。一方、中国（香港含む）からは、清華、北京、香港、香港科技、香港中文、中国科学技術の6校が入っています。

このデータが少々ショッキングなのは、東京大学のランキングがなかなか浮上しないことです。そしてその一方で、中国トップの清華大学がランクを上げています。実は、わずか5年前の2015年のデータでは、清華大学は49位、東京大学は23位という結果でした。つまり、その順位が5年でほぼ真逆に入れ替わっているのです。

このような結果が出る陰には、主体性の問題と並行する、交流機会、多様性の問題が大きく横たわっています。そしてそのことは、留学生の招致にも影響しています。

ここまで、海外に出る日本人という面から考察してきましたが、一方には留学生を受け入れるという面があります。とりわけ次世代の人材を育成・輩出する大学は、まっさきに人的交流を行い、国際交流を先導していくべき機関といえるでしょう。

国も留学生招致には力を入れており、「留学生30万人計画」を立てて着実に留学生の数を増やしていますが、実はここも、中身を見ていくことが必要です。日本への留学生の数は約30万人なのですが、その構成で最も多いのは中国人で約39%です。次いでベトナム人（約25%）、ネパール人（約8%）です。この3カ国で全体の3分の2を占めています。

この内訳が意味するものは、実はとんでもないことです。この背景には、日本社会の多様性の欠如がはっきりと影響しているのです。

食の多様性のコンサルタントの私からすれば、すぐに食の問題が留学生と結びつきます。

実際私には、こんな体験があるのです。

留学フェアのお粗末な実態

それは2016年のことなのですが、インドネシアのジャカルタで、留学生フェアに参加しました。

日本からの参加者も多く、127もの大学・教育機関が参加していました。京都大学、慶応大学といった有名大学から、地方の大学まで、所狭しとブースを並べています。

そのほぼすべてのブースで寄せられていた質問があります。

「学食にハラールフードはありますか？」

「プレイヤールーム（礼拝所）はありますか？」

質問しているのは、留学生希望者の親たち。当然でしょう。暮しにくい場所に子どもを行かせたい親などいません。学食におけるハラールフードや学校でのプレイヤールームの有無は、言うなれば、ムスリムへのスタンスの証明です。テロや移民問題などを背景に欧米でムスリムに対する排他的な動きがあるなかで、東洋の先進国である日本はどうなのだろう――？親や留学生本人たちは、学食・プレイヤールームなどからその姿勢を読み取ろうとしているわけです。

しかし残念ながら、ここで日本のほとんどの大学が発した彼らへのメッセージは「ノー」というものでした。もちろん、京都大学のように対応がしっかりできている大学もありましたが、それは少数派。多くのブースで聞かれたのは、以下のやり取りです。

「学食にハラールフードはありますか？」

「学食については外部委託しておりまして、民間業者の判断でメニューを作っています。現状では、特定の宗教のためのメニュー作りはしていないと聞いています」

「つまり、ハラールフードはない？」

「現状ではそうです。ムスリムの留学生の比率が高まれば、対応していくことになると思います」

「プレイヤールームはどうですか？　寮や大学内にありますか？」

「ありません。これも、ムスリムの留学生が増えれば対応できると思います」

「大学の近くにハラールレストランはありますか？」

「把握していません」

「では、モスクはどうでしょう？」

「聞いたことはないですが……。調べておきます」

——このような答えを繰り返す大学に、留学生の招致の本気度を感じることができるでしょうか？

私はとても傍観していられず、〝客足〟の途絶えたブースで担当者に声をかけました。

「手応えはどうですか？」

「なかなか私たちが求める学生には出会えないですね。良い学生に対しては、大学間の競争も激しいですし」

「求める学生とはどのような学生ですか?」

「ASEANの富裕層は、華人(中国系)と聞いています。彼らはムスリムではないはずなので、そうした学生に来てほしいです」

「ムスリムではだめなのですか?」

「ここだけの話、学内にはイスラム教に良いイメージを持っていない人も多いのです。ハラール対応の必要性はわかりますが、そう簡単には進みません」

何も誇張していない、これがありのままの事実です。どうですか? そんな大学に、世界中から優秀な人材が集まりますか?

優秀な人材が来れば来るほど、潜在能力のある若者たちは互いに刺激し合い、その能力をどんどん高めていくものです。そういう意味では、留学先として選ばれないということは、日本の在校生にとっても大きな問題なのです。

いや、それだけではありません。心配なのは、人材の流出です。本当に優秀な若者ならば、日本の大学に世界の優秀な学生が来ないとなれば、外に刺激を求めて当然です。

そのことは、ノーベル賞を受賞した日本人科学者たちの多くが欧米を活動拠点としている事実からも見て取れるでしょう。

5

お祈りは歯磨きみたいなもの？

クルアーンで定められている礼拝は、ムスリムにとって重要な習慣です。

毎日のことで厳格にはやり切れないという現実的な事情もあり、たいていの人は、1日5回の礼拝を、無理のない範囲で行っています。

礼拝の仕方は、聖地・メッカの方向を向いて胸の前で両手を組みます。聖典クルアーンの一部を唱えてから両手をひざに当ておじぎします。そして頭を地につけて二回おじぎをした後、正座のようにすわるというものです。膝をつくため、相応の場所が必要にはなりますが、畳一枚ほどのスペースがあれば十分です。

礼拝においては、個人が行う日々のお祈りとは別に、毎週金曜日に行う「金曜礼拝」があります。金曜礼拝は、金曜日の午後にモスクに集まり、大勢でお祈りをするというものです。一体感や共同意識が生まれる利点もあり、多くのムスリムは、金曜礼拝を大切に、かつ楽しみにしています。

さて、もしお祈りをしなかったら……という問いですが、これについて私は、よく「歯磨き」習慣を例にして説明しています。

皆さん、食後には歯磨きをしていると思いますが、歯磨きをしないで眠るとしたらどんな気持ちがするでしょうか？「なんだか気持ち悪いな」。そんな感じではないでしょうか？

それと同じです。礼拝は言ってみれば習慣です。やらないと何となく気持ちが悪い。でも、どうしてもできない状況なら我慢する。ですから、その思い入れも人によって異なります。どんな状況でも、たとえ病気でも絶対にお祈りしたい、という人もいれば、だいぶルーズに、「今日はお祈りしなかったけど、まあ、いいか！」なんて人もいます。できなかった礼拝は後日に振り替えることも許されているからです。

なお、女性は生理のときは不浄の状態であるとして礼拝しません。

社会

日本社会そのものが変わらなければいけない――。これが私の大きな問題意識です。日本人はとても不思議で、私の子どもの頃には影も形もなかったハロウィンなどが、一度着目されると一気に広まったりします。節分の恵方巻きなども、関西の一部以外はテレビCMでPRされるような類いの風習ではありませんでした。江戸時代の土用のうなぎから昭和以降のバレンタインチョコなど、こうした事例はたいてい商業的なものが多いですが、一度こうとなるとその変わり身の早さは信じられないほどのものです。

データから見える日本の閉鎖性

しかし、そうした事例を見据えたうえでも、やはり日本社会というのは内向き、閉鎖的、排他的な傾向があると感じます。最も象徴的なのは、世界経済フォーラムによる「グローバル・ジェンダー・ギャップ指数（男女格差指数）」でしょう。2019年データでは、調査した153カ国中、過去最低の121位。要因ははっきりしていて、政治・経済分野での男女間の不平等が問題になっています。職場での男女平等が達成されるまでにあと257年がかるとの試算まで突きつけられています。

ここ数年、女性活躍推進法の施行など女性の活躍が叫ばれていますが、振り返れば、男女雇用機会均等法が成立したのは1985年。すでに30年以上経っていることを考えれば、女性のリーダーがあらゆる分野、会社に男性と同じくらいいて当然のはずですが、確かに皮膚感覚でも、女性のリーダーはそれほど多くないように感じます。

同じ国民の間でさえ、未だにこうした不平等が存在している国です。こうした議論ではよく指摘されることですが、日本では民衆からわき上がる形でのいわゆる革命は、長い歴史のなかで一度として起こっていません。江戸時代の強烈な中央集権体制から抜けられないのか、変革ができない国民性なのでしょう。裏返してみれば、現状をあるがままに受け入れる柔軟性、あるいは忍耐力を持ち合わせた人々ともいえますが、社会正義や公平・公正さに対して、鈍感なのだともいえます。

メディアで時々紹介される「世界寄付指数」は、人助けへの意識、寄付やボランティアへの関わりなどをもとにした国別のランキングですが、日本は発表されるたびに、最下位グループでランキングされています。2018年データでは、144カ国中、128位。とりわけ、人助け指数（困っている人を助けるか、という指数）においては142位で、ワースト3となっています。

専門家の中には、「人助け指数が低いのは社会のセーフティーネットが充実しているためで、否定的に見るべきではない」といった指摘をする方もいますが、それにしても、144カ国中のワースト3では話にならないように思います。実際、生活保護者への世間の反応などを見ても、軽蔑心こそあれ、同情心はまったく感じられません。彼らの事情を深く知ろうともせず、生活保護受給者というだけで、「努力が足りない」「負け組」といったレッテルを貼りがちです。

シングルマザー（もちろんファザーも）についても似た状況があります。OECDによる2014年データでは、「世界の一人親家庭の貧困率」で、日本は33カ国中最下位です。その数値は50・8％。一人親家庭の2件に1件は貧困にあえいでいます。とりわけシングルマザーの場合は、先に見たジェンダー格差も絡むため、より貧困率が高くなっているとみられます。

この事実からしても、先述した専門家による「日本はセーフティーネットが充実している～」というのは、説得力を欠いているように思われます。むろん、最低限の生活はできるのかもしれませんが、家事も、子育ても、仕事も――と全部一人で抱える一人親が、何かを学んで新しいスキルを身につけたり、転職や起業を計画したりすることは困難でしょう。

人生100年時代に学びは必須

私は常々、「教育すべきは社会人」と、日本にはリカレント教育（生涯学習）の機会が足りないと主張しています。文部科学省が公表した2015年データでは、OECD諸国の中で、日本はここでも最低レベル。25歳以上の「学士」課程の入学者割合でOECD平均が16・6％のところ、日本は2％程度です。人生100年時代といわれ、世界トップレベルの長寿国である日本がこの様では、この先、とうてい世界と対等には戦えなくなるでしょう。さまざまな分野で変化が早い時代です。常に自分自身をアップデートしていかなければなりません。

しかし、結局のところ、そうした機会を得られるのは、財力があり、時間が自由になる人に限られてしまいます。本来ならばそうした機会は、社会が制度としてサポート体制を作り、誰でもいつでもやり直しができる、安心してチャレンジができる——そういう環境を用意するべきです。

しかし日本では、そうした機会を与えずに、「学ばないのは自己責任」と突き放してしまいます。

結局、貧困状態になった人たちはなかなかそこから抜け出せず、一方で余裕のある人たちが学び直しを繰り返すことで、どんどん格差が広がっていきます。やはり、フェアネスの観点が欠けています。一人親になる可能性は誰にでもあるのに、あたかもそれは運・不運（飾っていえば「運命」でしょうか）の問題であるかのようにみなして、他者の痛みを分かち合おうとしないのです。「あの人は運が悪いよね……」「頑張っていて、偉いよね……」。そんな評論家のような一言で済ますのが常です。

難民認定に見る日本の非寛容さ

こうした例にいとまがない日本では、当然でしょうが、外国人に対しても非寛容です。その一例として知られるところでは難民認定の問題があります。2018年の実績でみると、難民認定申請者数1万493人に加え、審査請求（不服申し立て）が9021人あり、合計で

1万9514人の申請があったなかで、在留が認められたのはわずかに82人（うち難民認定は42人）となっています。その率、0・4%。難民については元居住国の近隣国が受け入れるべきといった議論もあり、単純に批判はできませんが、主要国のなかで、著しく受け入れが少ないことは事実です。2015年に世界的な関心を呼んだドイツの難民受け入れは、なんと100万人規模です。

東西ドイツの統一から30年を経て、国内の高齢化や人口減を補うためとはいえ、ドイツは、国内の激しい賛否があるなかでも寛容さを見せています。ちなみに、日本とドイツは国土の大きさがほぼ同じです。ドイツの人口は約8300万人。ドイツほどでないまでも、日本だって、もっと難民を受け入れることはできるはずです。難民が多く発生する地域から離れているため申請件数も少ないとはいえ、難民受け入れ数について、国連人種差別撤廃委員会からも「非常に少なく懸念している」と指摘されています。

このような非寛容さは、生活をしていても多くの場面で見ることができます。私の立場からそれを大音量で叫びたいのはハラールなどの食の問題ですが、それについては後ほど詳述します。それ以外でも、まず住居の問題があります。外国人には住まいを貸さない、という大家さんは未だに多い。結果、1つの部屋に大人数で住む、ということが起きたりしていま す。また、仕事の選択も限られています。インテリで能力もあるのに、例えば日本語が少し拙いというだけで、肉体労働しか選べないという方は少なくありません。

ムスリム社員の「生の声」

当社「フードダイバーシティ」にはASEANからのイスラム教徒の社員もいるのですが、以前、彼らに「日本で困ったことはなに？」という質問をしたことがあります。そのときに出たのは80項目にも及んだのですが、「なるほど……」と思ったものに、こうした「困りごと」がありました。

行政機関で英語が通じない
確定申告やら年末調整やら複雑すぎる
都市部は電車の路線が複雑で切符売り場もわかりにくい
プレイヤースペース（お祈りのためのスペース）がまったくない

プレイヤースペースといえば、日本にはモスク（イスラム教の教会）が幾つあるか、ご存知ですか？　正確な統計データはないのですが、概ね１００堂といわれています。東京都内にはおよそ10堂。ちなみに、日本国内のイスラム教徒は、日本人では推計1万人、在住外国人では10万から20万人とみられています。彼らには、金曜日に教会に集まる「金曜礼拝」という文化もあり、急増している訪日ムスリム客も加えると、とてもではないですが、モスクの数が足りません。

モスクが足りず一時にムスリムが集まるため、入りきれずに外まで人々が溢れ、近隣住民ともめたという例は1つや2つではありません。

この背景に、日本人のモスクへの警戒心があることはいうまでもないでしょう。イスラム教やその信徒たちをきちんと理解している日本人は少なく、生半可な認識で、イギリスのモスクがテロの標的になった、ニュージーランドのモスクが襲われた、といった情報から、「モスク＝危険」と思い込んでいる人までいます。そのため、近隣の反対などにも遭い、思うようにモスクが作れないのです。モスク以前にプレイヤースペースを設けるだけでも反対の声が上がります。例えば、三重県伊勢市では、２０１８年に市内観光へ訪れるムスリム客のために伊勢神宮近くの観光案内所にプレイヤースペースを設ける計画を発表しましたが、市民らからの声を受けて計画を撤回しました。中にはプレイヤースペースの設置がモスクの建設につながるといった極端な反対の声まであったそうです。

お祈りのための〝努力〟

プレイヤースペースについては、当社のウェブメディア「フードダイバーシティトゥデイ」で、訪日ムスリムたちの声を集めたことがあります。そこに書き込まれたムスリムたちの本音は、私たちが想像していた以上に、彼らがお祈りで苦労していることを表していました。その涙ぐましい努力を見れば、今の日本が彼らの目にどんなふうに映っているかがおわかりいただけるはずです。

ムスリムがお祈りするには畳一枚分の場所があれば十分なのですが、日本では、このわずかなスペースが町中にほとんどありません。そのため、ムスリムたちは「お祈りをしたいけれど、思うようにできない」という状況を強いられています。

以下が、当社のフードダイバーシティトゥデイに寄せられた彼らの声の一部です。

まず人目につかない静かな場所を探してください。次にスマホのアプリでメッカの方角を確認します。最後に持参した傘を開いて立て、目隠し代わりにしましょう。それで礼拝できますよ（インドネシア人・20代女性）

ビルの非常階段が使えます。ただし、見つかると怪しまれるので細心の注意を（マレーシア人・10代男性）

橋の下であれば目につきません。良いロケーションの場所は限られますが（マレーシア人・40代女性）

ユニクロで買い物するついでに試着室でお祈りしました（シンガポール人・30代女性）

カフェで椅子に座りながらお祈りしています。日本ではこれがいちばん現実的なや

り方じゃないかな？（インドネシア人・20代男性）

お祈り前のお清めで足が洗えるところはまずないと思った方がいい。それでもというのであれば、ウエットティッシュを持ち歩くといい。ただし、トイレでも靴下を脱ぎ出すと日本人には驚かれるよ（マレーシア人・30代男性）

お祈り中は神聖な時間。話しかけないように、一緒にいる日本人にあらかじめ言っておくこと（マレーシア人・30代男性）

日本でも大都市には公園が多い。広い公園でのお祈りは、逆に目立たないよ。ただ屋根がないから雨の時は困るけどね（イラン人・30代男性）

ほとんど涙ぐましいと言って過言ではない「工夫」ぶりです。
が、「工夫」すべきは一方的に彼ら彼女たちの側なのでしょうか。

行政による排他性も

排他的措置の例としては、2019年に、富山市がベトナム人に公園を貸さなかったというニュースも思い出されます。以前にベトナム人の団体に公園利用を許可したところ、大量のゴミが放置されたままになったため、ベトナム人には一律で3カ月間公園を貸さないようにしたというものです。

それまでもゴミの大量放置が続いていたそうで、何らかの対処は必要だったのだと理解しますが、それでも、「ベトナム人」をひとくくりにして公園利用を制限したことについては、ベトナム人にはモラルがない、ベトナム人には何を言っても聞いてもらえない、といった民族に対する偏見に行政がお墨付きを与えたと指摘されても仕方ありません。公正であるべき行政の対処だけに、彼らの公正な判断がどのように行われたのかがとても気になります。つまり、「市民にとっての公益」という概念のベースが、市民=日本人、となっていたのではないか？　ベトナム人は「外部者」という認識を持っていたのではないか、ということです。

この対処こそまさに、いまの日本社会を象徴しているように思います。日本人は都合よく、労働力として外国人を〝活用〟しようとしていながら、彼らを仲間とは見ず、よそ者として距離を置いているのです。

知られざるムスリム墓地問題

つぎに日本人の多くが知らない現実をご紹介しましょう。

日本とイスラム教のつながり自体は意外に古く、奈良時代にまで遡ります。『続日本紀』の中に「大食国」と記載があり、それはイラン系民族の国家だったと推察されているのです。この頃遣唐使を派遣していた日本は、大食（アラビア）、吐蕃（チベット）、新羅（韓国）と共に唐朝の皇帝の謁見式に列席していたと記されています。それから一千年以上にわたって薄いながらもイスラム諸国との交流を続けてきた日本ですが、19世紀後半になって日本人の改宗者が現れます。

イスラム教へ改宗した最初の日本人は1890年代に活躍した山田寅次郎と有賀文八郎（共に実業家としても有名）といわれているのですが、それが史実とするなら、日本とイスラム教は、つながり始めて100年、交流をはじめてまだ100年ちょっとのことでしかないということになります。

そうしたこともあって、これまで日本では信徒の数もさほど多くなく、問題が顕在化しなかったのですが、実は彼らには、大きな不安ごとがあります。お墓です。聖典「クルアーン」には、埋葬に関して「やがて、彼（人）を死なせて墓地に埋め、それからお望みのときに彼（人）を甦らせる」と書かれています（80章21―22節）。ムスリムは来世があることを信じており、現世での死を経てアッラーの審判を受け、来世で蘇ると考えているのです。従って、その復活した時に肉体が必要であるため火葬しないのです。

日本に土葬を禁じる法律はありません。条例で土葬を禁じている自治体もありますが、埋葬に際して市町村長の許可があれば、土葬も火葬も可能です。

地元住民の声を重視する自治体としては、たとえ困っていると聞いたとしてもムスリムの土葬を認めるには地元住民の理解が大前提です。こうした事情から、土葬可能なムスリム墓地は全国にわずか7カ所にとどまります。数的に不十分な上に、北海道、茨城県、埼玉県、山梨県、静岡県、和歌山県と点在しているため、決して利用しやすい場所にあるとはいえません。

私の体験ですが、以前、シンガポールから訪日していたムスリムが事故で急死され、その遺体の取り扱いについて相談を受けたことがあります。遺体をシンガポールへ搬送したいが誰が手伝ってくれるのかという問い合わせでした。

ムスリムは亡くなると自宅かモスクで「洗体」を行います。そして全身を白布に包んで棺に納め、葬儀の礼拝が行われるのです。問い合わせて来られたのは、亡くなった方のご友人でした。東北地方で亡くなられて、都内のイスラム教団体が奔走して下さり、一連の宗教行為の後、無事に遺体をシンガポールへ搬送できました。しかし、その過程は煩雑極まりないものでした。イスラム教団体の協力がなかったら、恐らく最後までサポートするのは難しかったことでしょう。日本に滞在するムスリムたちが、異国の日本できちんと納得できる埋葬を行えているのか、とても不安です。

日本文化に慣れた居住者だけでなく、今後は旅行者も多数訪れてくるなかで、こうした対応のニーズは確実に増えていくものと思います。ダイバーシティと向き合うには、避けて通れないことです。

こうした住まいが借りにくいことやお墓の問題などは象徴的ですが、やはり日本社会は、自分たちの価値観にそぐわないもの、よくわからないものに対しての拒絶がはっきりしています。一言でいえば、冷たい。先にも触れましたが、他者の痛みに対して冷淡です。

教育の問題ではないか

なぜ、そのような国民性なのか。まさに島国、村社会の産物のように思われますが、ほかのさまざまな分野では価値観がどんどん変わっているのですから、どうしてその排他性だけは旧態依然としているのかよくわかりません。私が思うのは、教育の問題です。社会教育はもちろんですが、学校教育においても、指導の方向が間違っているように感じます。

以前、シンガポールで小学校を見学したことがあるのですが、シンガポールでは幼少時に学校でこう教えていました。

「隣にいるお友だちはあなたとは異なる。母語、習慣、宗教。全部異なっている。世界には様々な人がいるから素晴らしいのよ」

それに対して、日本ではどうでしょうか。

「隣にいるお友だちのようにしていなさい。和を乱してはだめ。みんなと同じようにするのよ」

私も1人の日本人です。日本の学校教育に育ててもらいました。ですから、それを全否定するつもりは毛頭ありませんし、「和」を尊ぶことに美徳を感じます。

ただ、一致団結による大量生産が成果を上げた時代と異なり、今は変化が激しく、流動性も高く、多様な意見が必要とされる時代です。互いの文化・価値観の良さを認めあうところから始めるべきです。「右向け右」的な学校教育を見直し、指導の仕方だけでなく、カリキュラム自体も、もっと多様なものに触れていくようにすべきです。

この章の最後に、知日家として知られるシンガポール建国の父とも称されるリー・クアンユー初代首相からの警鐘を紹介しましょう。

シンガポール独立の際に、国家運営の指針として「横浜」を参考にしたともいわれる彼は、絶筆となった最後の著書にこう記しました。

「もし私が若い日本人で、英語が話せたなら、私は日本を出て行くだろう」

彼の言葉は、「外国人たちが日本を目指すことはないだろう」とも言っているように私には聞こえます。

お清めの水とシャワートイレ

ムスリムはお祈りする時、肌が露出している部分を水で清めます。顔、口、首、手、腕、耳、足などです。これを毎日5回励行していますので、基本彼らはキレイ好きと考えてよいでしょう。クルアーンの中でも清潔であることは重要だと教える記述がいくつも見当たります。

そんな彼らはトイレで用を足した後、汚れた陰部を水で清める習慣があります。日本ではシャワートイレが使われていますが、彼らの出身国ではシャワーホースが普及しています。

シャワーホースとは一般的に大便器に座った際に右手後方から伸びる水道管につながったホースです。先端にスプレー式ヘッドがついていて、ノズルを押すと水が出るようになっています。その水で汚れた部分を洗い流します。一般的に洋式便器にも和式便器にもシャワーホースは設置してあります。慣れない人が使うと水が勢いよく飛び出したり狙った部分を洗えなかったりで、床がビショビショに濡れてしまうことがよくあります。

最近は日本国内でシャワートイレが一般化していますが、それでも公立小中学校や幼稚園、公園までは未整備のところが多く、ムスリムとの共生において“隠れた”問題となっています。

第 3 章

「食」からなら開国できる

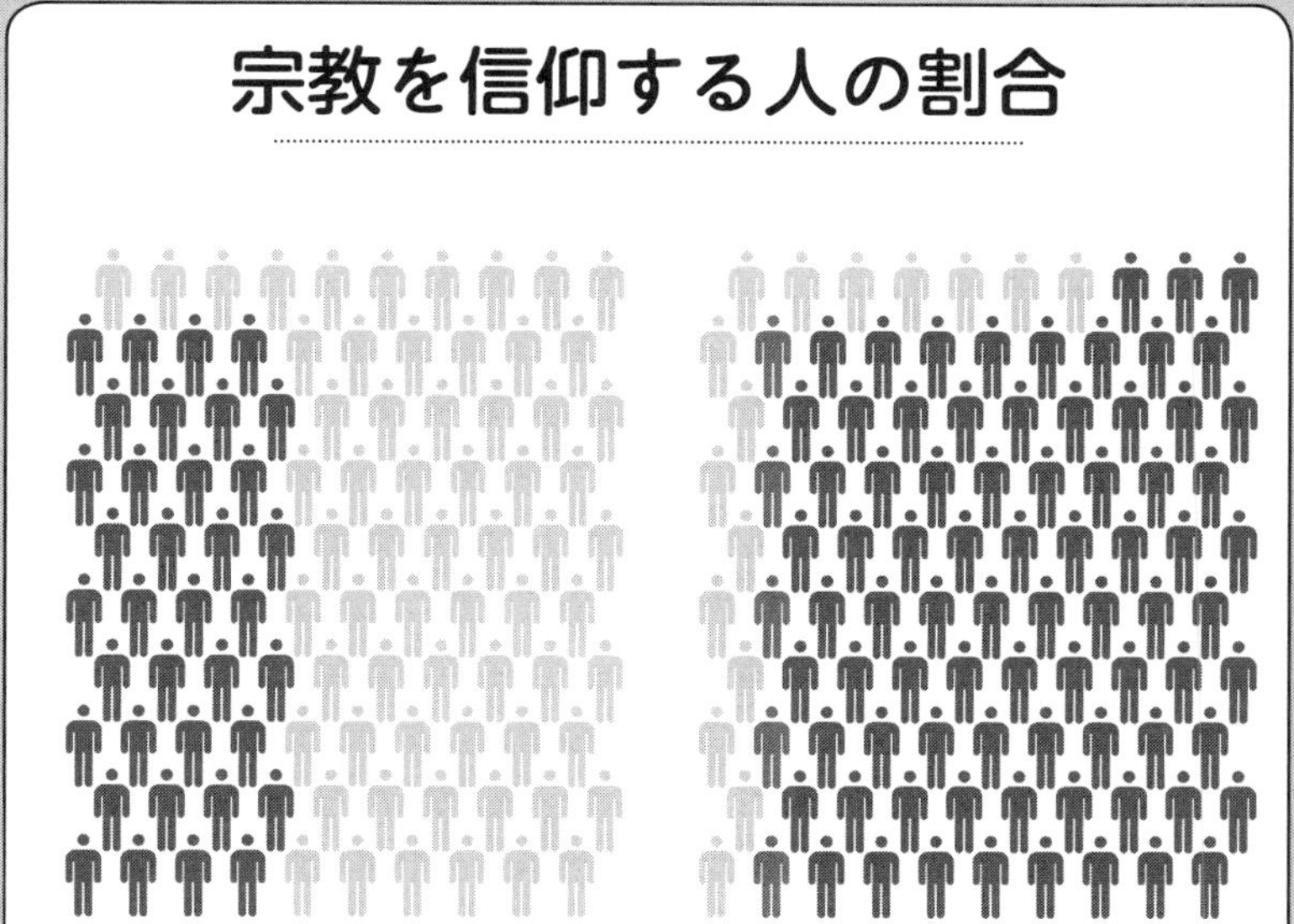

出典：ISSP調査（2018年）より

1章、2章で、今の日本が外国人に対していかに閉ざされているかをご理解いただけたでしょうか？

同時に、日本がもしこの無理解を続けたなら、いずれ世界から相手にされなくなる可能性があることを感じていただけたでしょうか？

新型コロナウイルスによって急速に広まったものの1つにオンラインコミュニケーションがありますが、私はこの隆盛を、複雑な思いで見ています。ポジティブな面としては、世界が近くなるということが挙げられます。これだけオンラインコミュニケーションが普及すれば、世界との草の根交流も盛んになることでしょう。とりわけ学生などは、共に勉強会を開くなどさまざまな交流ができそうです。

ただ、一方で私には不安もあります。それは、オンラインコミュニケーションが広まった分、訪日してくれる人が減るのではないか、という不安です。

本書の前半で多角的にご紹介したように、今の日本は、多文化に対して排他的な態度を取り続けています。このような国に、誰が行きたいと思うでしょうか。とりわけ、旅先の楽しみとして重要な「食」が彼らに対して閉ざされたものであったなら、「日本になど行く必要はない。オンラインで十分だよ」と対応されても仕方ありません。それこそ、1章で紹介した、豪華客船から降りない富裕層のように。

日本が世界と積極的に交わっていくためには、「食」は絶対に欠かすことのできないキーポイントであり、美食の国にとっては最強の武器にもなるのです。

いよいよ本題として、日本の食のダイバーシティがどうあるべきかをご説明していきましょう。

日本食への意外な低評価

日本の食、と聞いたときに、どんなイメージをお持ちになるでしょうか？　世界文化遺産に登録された和食、ミシュランの星獲得レストランの数が世界一、訪日客が最も楽しみにしているのが日本の食――そうです、日本の食は日本が世界へ誇れる偉大な文化です。お気に入りのレストランを目指して海外から足繁く通う訪日客がいるほど、日本の食は世界から高い評価を得ています。

こうした高級路線だけではなく庶民的な寿司、天ぷら、すきやき、ラーメンといったメニューを思い浮かべる方もいるでしょう。

郷土食として、誇らしく思っていらっしゃると思います。

世界に誇る日本食、美食、繊細、アート……。

そういう最高級の評価があるのは紛れもない事実です。しかし、一方に、こういう意見があることも知っておいてください。

「日本食はソルティーだ……」

塩辛い、刺激的、味が濃すぎる――すなわち、おいしくない……。こうした意見は、誇張して書いているわけではありません。私自身が実際に外国人から聞いた言葉です。

最初は私も、「この人の味覚、大丈夫かな？」「変わった人だなぁ」という感じで深く考えずにいました。しかし、その数が2人、3人から、10人、20人と増えていくと話は変わります。私は、友人の多いASEANだけでなく、アメリカ、ヨーロッパ、中東の人たちにも聞き、日本食について掘り下げて質問しているので、世界でこういう評価があることは間違いありません。

考えてみれば、日本食は塩や醤油ベースの味付けが多いのかもしれません。外国には漬物、干物、味噌といったものはなく、あったとしても日本のものほどしょっぱいということはありません。

日本育ちの私からすると、日本食がソルティーとは到底思えませんし、「何にでもチリソースをかけるASEANの人たちに言われたくないな……」という気持ちがあるのも事実です。それでも、評価は評価として受け止め、何が、どうソルティーなのかを考えてみました。

私なりに思うのは、おそらく味の深みを出す出汁や下味などが、異文化の人の味覚では「素材に味がつきすぎている」という評価になるのではないか、ということです。ASEANや北米の人たちは出てきた料理に自分で調味料を加え、カスタマイズすることを好みます。チリソースやチーズなどを手元に置き、食べながら味を調整していくのですが、日本食の場合は、もともとしっかり味がついている料理が多いように思います。日本においては、「最初は薄味かと思ったけれど、しっかり味がついていて、味の広がりがある」なんていうのは最高の評価になるのですが、そうした味覚は、必ずしも世界共通のものではないのでしょう。

求められる「彼らもまた正しい」の姿勢

その推測が正しいのかどうかはともかく、日本の食の国際化、すなわち「フードダイバーシティ」を考えるときに、まずはこうした味覚の違い、食の捉え方の違い、価値観の違いがあることは知っておいてほしいと思います。

どうも日本人は自分たちの食文化に誇りを持ち（実際に素晴らしいのですが）、「あいつらは味がわからない」「日本食のおいしさがわからないなんてかわいそう」といった、いつもの〝上から目線〟で切り捨てたがるように思いますが、食文化はそれぞれ、感じ方は多種多様だということを理解すべきです。とにかく、「自分のほうが正しい」という姿勢を持つことは、ダイバーシティにおいては絶対にNGです。「自分たちは正しい。彼らもまた、正しい」。これが適切な姿勢の取り方です。食はもっと自由であっていいのではないでしょうか。

それともうひとつ、考え方を変えるべき事項があります。それは、「そこに何が入っているか」に敏感になるということです。

これもまた日本人の食文化が影響していると思うのですが、日本人は「隠し味」や「意外な組み合わせ（例えば、明太子とパスタ）」が大好きで、実際の料理人たちも、新しい食材の組み合わせや隠し味の競い合いをしているようにみえます。

こうした努力や熱意は素晴らしいことですし、「隠し味」が食の楽しみだというのもわかるのですが、その素晴らしさとは別の次元で、「食べて、当ててみて！」という姿勢には問題があることも理解してほしいと思います。

この話でわかりやすいのはアレルギーです。卵、小麦、ソバ、甲殻類、ピーナッツ、マンゴーやキウイフルーツなど、ある体質の人にアレルギー反応を引き起こす食材は幾つかありますが、これらは命にもかかわるため、本来、常にその使用は表示されていなければなりません。最近は飲食店のメニュー表などにも記載されることが多く、スーパーの棚に並ぶ加工食品や菓子でもパッケージに表示されているものが目立ってきていますが、より厳しく言うなら、それは多言語（少なくとも英語表記は必須）でなされるべきですし、家庭で料理を出す場合も、事前に「何かアレルギーがある?」と聞いたうえで、料理を出すようにしたいものです。

日本の「おもてなし」の文化には、どうも、一から十まですべてお任せいただく（受け手からみれば、すべてを委ねる）のが最高の美徳とされる傾向にありますが、本当の「おもてなし」は相手に合わせ、相手の要望を叶えることです。食で言えば、何から作られているか示すことです。独りよがりにならないように注意することが大切です。

同じ文化、価値観、バックボーンを持つ者同士であれば、〝シェフのおまかせディナー〟は価値がありますが、さまざまな文化、価値観が入り交じるこれからのグローバル社会では、「おまかせ」こそ最上の「おもてなし」という姿勢はハイリスクのものとなります。よかれと思ってしたことが、まったく逆に、不快感、失望、怒りなどにつながってしまうことがあり得るのです。

ですから、これまで良いと信じてきたことを見直すこと。「変わる」ためには、まずはそこから始めなければなりません。

なぜ、日本のフードダイバーシティは遅れたのか

日本食の現在地を知るには、もうひとつの側面、つまり、なぜ日本のフードダイバーシティが遅れているのかを把握しておく必要があります。

これには、明白な理由があります。キーワードで上げるとすれば、急激な観光立国化と中国の台頭です。

２０１９年まで急拡大した日本のインバウンドは意図して作られてきたものです。日本政府がビジット・ジャパン・キャンペーンを始めたのは２００３年。その時点で約５２１万人だった年間訪日客はみるみる増え、先述した通り10年代後半に３０００万人以上を迎えるまでになりました。

その急伸を当初支えたのは、中国・韓国・台湾の観光客でした。とりわけ中国人客の増え方は激しく、団体での旅行が多いこともあり、人気観光地は中国人客への対応に追われることになりました。

ネガティブな報道が時々されていますが、中国人観光客は、ありがたい存在である一方、モラルの面で日本人とはだいぶ価値観が違うことを思わされます。観光の現場では、それまで経験したことがなかった場面に直面することが増え、同時に、中国語や英語などを覚える必要もあって、現場は目先の対応で精一杯でした。

その結果、遅れてしまったのがハラールなどへの対応です。ＡＳＥＡＮからの旅行者はビザ解禁などもあって徐々に増えていったのですが、それが中国人客ほど激しくなかったこともあり、その対応の必要性が、観光現場でそれほど浸透していかなかったのです。さらにいえば、冗談みたいな指摘になりますが、「声の大きさ」も影響したといえるでしょう。テロなどと結びつけられがちなムスリムですが、彼らの本質は、神に従う謙虚さです。イスラム教の聖典・クルアーンではムスリムに課す五行を示しているのですが、その五行とは以下の通りです。

信仰告白
礼拝
喜捨
断食
巡礼

ムスリムたちが断食をしたり、日々のお祈りをしているのはこの五行のためなのですが、恐らく多くの日本人にとって馴染みがないのは喜捨でしょう。
喜捨とは、収入の一部を困窮者に施すことをいいます。自分を犠牲にして他者を救うという思想です。このような他者に対しての親切心を持つ彼らは、観光地で声を荒げるようなことはしません。一方の中国人は、バイタリティあふれる人たちがほとんど。ふつうに話していても怒っているように聞こえます。

そんな両極端な人たちが同じ観光現場にいれば、どうしたって目立つのは中国からの人々になります。悪意なく私たちは、別のほうに気を取られて、ムスリムたちに我慢を強いてきたといえるでしょう。

こうした現場の事情に加えて、本書で指摘してきたような、日本人の宗教への疎さが関係していています。日本がフードダイバーシティに遅れたのも、経過を見ると、仕方のない部分かもしれません。現場は一生懸命やっていたけれども気づかなかった……というのが実際のところでしょう。

「食べられない」という多様性

さて、いよいよここから核心に入っていきます。フードダイバーシティとはどういうものなのかを整理していきましょう。

多くの方は、フードダイバーシティというと、例えば、中国・韓国で有名な犬食や、南米・アフリカ・ASEANなどの昆虫食、イタリアの虫入りチーズなど、いわゆるゲテモノを思い浮かべる方が多いかもしれません。要するに、人間は何でも食べている、という〝多様性〟で、それは食材もそうですし、製造方法についても本当に多彩です。

この多様性に限っていえば、日本もなかなかの幅広さを持っています。世界から白眼視されている鯨食、イナゴやハチノコなどの昆虫食、さらに話題にされがちな梅干しや納豆。意外に知られていないのが玉子かけご飯。細菌が入っているかもしれない玉子を生で食べるなどというのは、海外では信じられないといった声があります。この他にも、白子、ウニ、馬刺し、タコなどは国によってはゲテモノ食といわれています。このように、日本の食文化は実に多様で豊かなのです。

が、本書で確認したい「多様性」は、「いろいろなものを食べている」という多彩さのほうではなく、「さまざまな禁忌（タブー）がある」という多面性のほうです。「食べられる」という思考ではなく、「食べられない」のほうを重視します。

では、なぜ「食べられない」ということが起こるのか。理由として挙がるのは大きく分類すると以下の４つです。

文化・嗜好によるもの
宗教上の理由
ポリシー・思想に基づくもの
体質・体調による制限

それぞれ順に説明していきます。

文化・嗜好による「食べられない」

もっともわかりやすいのが文化・嗜好による「食べられない」です。

「嫌いなものある？」「苦手な食べ物ある？」という会話は誰にとっても日常的なものだと思いますが、個人レベルでの「食べられない」（あるいは「食べたくない」）が存在します。食感や味、あるいはトラウマ（前に食べたときに気持ち悪くなった、等）など「食べられない」原因はさまざまだと思いますが、よほど親しい人でもなければ、「おいしいのに」「なんで嫌いなの？」といったデリカシーのない指摘はやめましょう。

これの延長で考えるとわかりやすいのが、文化による食の差異です。私たち日本人にとって、いちばんピンとくるのは鯨です。鯨食は野蛮だとして他国から批判されていますが、古来から親しんできた日本人からすると、「私たちの食文化にそちらの価値観を持ち込まないでくれ」ということになります。じゃあ、牛はどうなんだ、豚はどうなんだ、と、言い出せばキリがなくなります。野蛮と思うという理由であなたが「食べられない」のなら、それはそれでいいじゃない、というのが鯨食側の考え方です。

このように考えると、中国等の犬食文化なども、私たちは批判すべきではありません。昨今は、中国や韓国を貶める目的で犬食文化を下劣なものと断じる人がいますが、これは多様性の精神から最も遠い姿勢です。

このように広げていくと、一見グロテスクな昆虫――芋虫、タガメ、ゴキブリ等――や爬虫類といった、私たちの感覚ではぎょっとするような食べ物も、自分が「食べられない」としても、食べている人を気持ち悪がったり、軽蔑するような目で見るのは御法度です。

同時に、自分が食べられるとしても、嫌がる人に無理強いすることも絶対にしてはいけません。

宗教上の理由での「食べられない」

日本社会において、特に世界標準の認識に大きく遅れているのが、宗教による食の禁忌です。宗教によって「食べられない」ものを定めていることがあるのですが、その思想の根拠は無用な殺生を避けるということであったり、特定の動物が神の化身であったり、穢れであったりと、さまざまです。専門書ではないのでここでは細かく追いかけることはしませんが、代表的なところは以下に整理しますので、ぜひ食の多様性の基礎として覚えてください。

〈ハラール〉


まずはその代表格となる「ハラール」についてです。

本書で何度か論じてきていますが、それはイスラム教の戒律に基づくものです。

ハラールとは、「神に許された」という意味のアラビア語です。イスラム教を信仰する人々にとって、ハラールは生き方の指針になっています。それは食べものに限らず日常生活全般にわたるもので、善い行いに努めることや清潔な食べものを摂ることが義務付けられています。許されないものはハラームといいます。

ハラーム（許されないもの）の代表的な食品は、豚肉、牙を持つ動物（犬など）、血液、酒などのアルコールが含まれているもの、そして、イスラムの法に基づかない方法で処理された動物の肉などです。

そして、ハラールはハラーム以外の食品です。代表的な食品は、野菜や果物、キノコ、魚介類（一部例外あり）、牛乳、卵などですが、ハラーム以外というのですから、日本で食べられている多くの食材は実はハラールです。たとえば【図10】で示した食材は、2015年に徳島県が「世界に誇れるトップブランドに育て上げるため」（同県ホームページより）選出した地元ブランドのうち一次産品（食材）としてリストアップされたものです。

このリストで明確なハラーム（許されていない）は豚肉ぐらいです。鶏肉と牛肉は所定の方法で屠殺するなどが求められますが、ハラール（許されている）です。その他はすべてハラールなのですから、恐れることはありません。イスラム教の聖典「クルアーン」では、以下のように書かれています。

「それでアッラーがあなたがたに授けられた、合法にして善いものを食べなさい」（16章114節）＊

「あなたがたに禁じられたものは、死肉、（流れる）血、豚肉、アッラー以外の名を唱え（殺され）たもの、絞め殺されたもの、墜死したもの、角で突き殺されたもの、野獣が食い残したもの、（ただしこの種のものでも）あなたがたが止めを刺したものは別である。」（5章3節）

＊ **クルアーンの日本語訳は「日亜対訳 注解 聖クルアーン」（宗教法人日本ムスリム協会）より**

[図10] ムスリムに許されている食材例

とくしま特選ブランド（一次産品）

食材	ハラール
鶏肉（阿波尾鶏）	△
牛肉（阿波牛）	△
豚肉（阿波とん豚）	×
エビ	○
ぶり	○
鮎	○
トマト	○
にんじん	○
なす	○
スイートコーン	○
しいたけ	○
さつまいも	○
すだち	○
ゆず	○
はっさく	○
みかん	○
デコポン	○
ブルーベリー	○
ぶどう	○
いちご	○
キウイフルーツ	○
かき	○
はちみつ	○
黒米	○
卵	○

・△＝ハラール処理が必要
・個人差があります

「あなたがた信仰する者よ、誠に酒と賭け矢、偶像と占い矢は、忌み嫌われる悪魔の業である。これを避けなさい。おそらくあなたがたは成功するであろう。」（5章90節）

なぜ豚がダメなのか、どうしてお酒がいけないのか、など、日本人の感覚では「根拠がない」などと言いたくなるものですが、クルアーンを人生の規範としているムスリムたちにとっては、疑問を持つこと自体が不自然なものです。彼らは問答なくクルアーンに従い、クルアーンで許されたもの（＝ハラール）を摂取しています。

さて、ハラームの代表例としてよく知られる豚とアルコールですが、これらを使わないとなると、結構食卓に影響が出ます。特に豚肉と豚由来の食材については、「こんなに使われているの!?」とびっくりされることでしょう。

ぱっと思いつくところでは、ハムやソーセージ（むろん魚肉は別）。手軽で味のアクセントになることから、私たちはつい無意識に使ってしまっています。「ポテトサラダを注文したらベーコンが入っていて食べられなかった」という例も多いです。

しかし、この程度なら、「ちゃんと考えて注文すれば大丈夫でしょ？」と思ってしまいます。問題はこの先。豚の食品使用は、この程度では済みません。

注意すべきなのは、ラード（脂肪）です。以下の食品はどんな脂が使われているか要注意です。

コーヒークリーム
アイスクリーム

乳化剤
マーガリン
ビスケット
香味料
スープ
調味料

また、意外に豚の皮が使われている食品も多いです。たとえば、以下のような食材です。

ゼラチン
マシュマロ
ヨーグルト
ゼリー
ソフトキャンディ

1章で「日本のスーパーで買い物をするのに2時間かかる」というムスリマの姿を紹介しましたが、それは、成分表を見ながら、ラード（脂）が使われているのか、皮の利用はないか、などをすべてチェックしているからなのです。

7

断食はつらいよ？

イスラム教と聞くと、断食をすぐに思い浮かべる方は多いでしょう。

断食は、ラマダンと呼ばれる期間中に行われます。ラマダンは年に1回、4週間にわたります。ヒジュラ暦の9月がそれで、西暦では毎年10日から12日ほど早くなります。

断食といっても、1カ月間何も食べないわけではありません(当たり前ですが)。日中の食事を取らない風習で、朝は日の出前に、夜は日没後に食事をします。特に日没後の夕食は、イフタールと呼ばれ、いつにも増して豪華なものになります。レストランでも特別メニューを提供しています。

ラマダンを行うのは、空腹を体験することで貧しい者への思いを深くしたり、身を清めるため、などといわれます。

日本人の感覚ではストイックなイメージがあり、「1カ月もあるなんて大変そう」と思ってしまいがちですが、実はムスリムにとっては楽しい行事であるようです。私が数人の友人に聞いた限りでは「神がもっとも私たちの近くに来てくださる、とてもハッピーな時期」とのことでした。

私はシンガポールで暮らしていましたので、何度もこのラマダンを経験しました。そこで気をつけたのは、

・商談はなるべく午前中に予定する

・ムスリムが見えるところで飲食はしない

・日没後の夕食に備えて、ランチは少なめにしておく

といったところです。

特に日中の飲食には気を使いましたが、彼らに言わせると「全く気にしなくていい。気にならないから」とのことでした。

もしあなたの身近にムスリムがいるなら、当然、ラマダン中の交流もあるでしょう。でも、過度に断食を気にする必要はありません。

大切なのは、彼らが自由に過ごせるようにすることです。

アルコールについても、日本酒やビールを飲まなければいい、という単純なものではありません。調味料に含まれていることもありますし、料理の味付けに使われることもあります。日本食で危ういのは、しょう油やみりんで、アルコールが添加されているものはＮＧです（アルコール無添加ものもたくさんあります）。

豚肉以外の肉類についても、話は単純ではありません。前述のように、クルアーンではその食肉がどのようにもたらされたのかを厳しく問うています。その法に従うと、ムスリムに許される肉（つまりハラール）は、ムスリムの手によって、メッカの方角に向かい、アッラーの名を唱えながら屠畜されたものでなければなりません。

このように屠畜するのは、今の日本では容易ではありません。実現するには、屠畜会社はムスリムを雇わなければなりませんし、ほかの肉と交ざることがないように、行程管理を厳しくしなければなりません。例えば、ムスリムに絶大な人気がある「ハラール神戸牛」を産出する三田《さんだ》食肉公社（兵庫県神戸市）では、ムスリムの従業員を雇い、特定の日はハラールの屠畜日、その他は日本の通常の屠畜、と厳格に行程を分けています。

なお、本書ではハラールを大枠で捉えてご説明していますが、細かく宗派で分けると、ハラールの解釈にも種類があります。

イスラム教の２大宗派はスンニ派とシーア派ですが、シーア派はより厳しく、魚介類でもウロコのない魚はハラーム（許されない）になります。また、甲殻類も口にしません。

訪日客として多いＡＳＥＡＮでは、スンニ派が主流となっています。

〈コーシャ〉

「コーシャ」は、ユダヤ教の戒律に沿ったものです。エビや貝類の摂取が許されていません。また、摂取できる肉も、分かれた蹄を持ち反芻する動物（牛、羊、鹿など）に限られるなど、細かく定められています。

〈ヒンドゥー〉

キリスト教、イスラム教に続く、世界で３番目に信徒が多いといわれるヒンドゥー教徒は、牛を崇拝しているため牛肉は食べません。また、不殺生を戒律とするため基本的には肉を食べません。徹底する人の場合、球根も生命だと捉え、タマネギやニンニクなども拒みます。

ヒンドゥー教徒のほとんどはインド人です。その数は９億人とも11億人ともいわれており、今後予想されるインドの経済発展に合わせ、遠からず訪日する彼らへの食の対応が急がれるようになるはずです。

〈仏教〉

仏教も基本的には肉食が禁止されています。今でこそ肉食が普通の日本でも、６７５年に牛・馬・犬・猿・鶏の肉食を禁止する詔が出され、以降、１２００年にわたって表立っての肉食は避けられる時代が続きました。肉食が広まったのは明治天皇が西洋料理を好んで食すようになってからで、全国的に肉食が一般化したのは太平洋戦争後でした。

こうした禁忌は、今の日本ではほとんど消失していますが、台湾などでは今も残っており、彼らは肉食を避けるだけでなく、五葷（ネギ、ニラ、ラッキョウ、ニンニク、アサツキ）を摂りません。五葷は精がつき性欲を刺激することから仏教修業において不要なものと考えられています。また臭いがきついことも修業の邪魔になると考えられ、忌避されています。肉食と五葷を避ける彼らのことは「オリエンタル・ベジタリアン」（オリベジ）とも呼ばれます。このような台湾人は全人口の約13％にあたる約３００万人いるとされ、ベトナムにも多くいます。

ポリシー、思想に基づくもの

宗教的戒律とはまた別に、ポリシーや思想に基づき、食を制限する人もいます。代表的なのはベジタリアンです。

〈ベジタリアン〉

ベジタリアンになる理由はさまざまあります。先述した宗教上によるもの（ヒンドゥー教、オリエンタル・ベジタリアンなど）、動物愛護の信条によるもの、倫理観に基づくもの、健康志向、環境破壊への問題意識、美学（ベジタリアンへの共感）などです。

ベジタリアンとして知られ、長年普及活動にかかわっているポール・マッカートニーは、ベジタリアンになったきっかけを、こんなふうに語っています。

「あるとき釣り上げた魚が必死に呼吸しているのを見て、ボクはカレを殺そうとしているのに気づいた。カレが息をしようと苦しんでいるのを見ながら、カレの命はボクの命と同じくらい大切なものだということに気づいたんだ」

ある動物愛護団体のキャンペーンポスターに登場したポールは、牛のイラストと『ＥＡＴ

NO（食べない）』というプリントを施したTシャツを着用し、菜食主義を訴えました。彼が2009年に始めた月曜日は肉食を控えるという「ミートフリーマンデー（週に1日は菜食を）」キャンペーンは、今では40カ国以上に広まっています。2018年に来日した際には、小池百合子都知事と面談し、同年10月から都庁の職員食堂では毎週月曜日にベジタリアンメニューが提供されるようになりました。

ベジタリアンには、ポール・マッカートニーほか、世界的スターも多く、ハリウッド俳優のブラッド・ピッド、ジョニー・デップ、音楽界では「最もセクシーなベジタリアン」に選出されたプリンスやオジー・オズボーンらが知られています。人々の憧れの対象となるセレブが意識改革をリードすることで、ベジタリアンは世界でどんどん広がっています。イギリスのスーパーマーケット「ウェイトローズ」による「イギリス人の3分の1は肉食をやめたか減らしている」という調査結果からも、彼らの影響力が伺えます。

たとえばベジタリアン比率が高い11カ国からの訪日客は全訪日客の4分の1に相当する732万人（2017年データ）になります。このうち、ベジタリアンは、およそ78万人いるものと推定されます。

ところが、これだけ多くの方が訪日しているにもかかわらず、やはり日本社会の対応は遅れています。いまだに、「ベジタリアンにはサラダを出しておけばいいんでしょ？」と平然と話す飲食店オーナーがたくさんいます。

ベジタリアンへの対応は、そんな単純なものではありません。よく聞く例ですが、ベジタリアンが「ほうれん草のおひたし」を注文したとします。もちろんそれ自体はベジタリアンメニューですが、サービスのつもりか習慣か、日本の飲食店ではそこにかつお節を振りかけて提供しがちです。これはNG。多くのベジタリアンは、魚も口にしません。

根本をきちんと理解していないと、ベジタリアンへの対応はできません。例えば、味噌汁。味噌自体は、大豆、米、麦などに、塩と麹を混ぜて発酵させたもの。もちろんベジです。野菜や海藻の具で提供すれば、何の問題もないベジタリアンメニューに思えます。

が、しかしです。出汁で煮干しやかつお節を使えばNGです。干し椎茸や昆布などから出汁を取るように、細部まで気を配らなければなりません。

このように、実は、何を食べて、何を食べない、というのは、同じベジタリアンでも個人差があります。ベジタリアンの中にも、強度の差があるのです。

広い意味でベジタリアンというときには、肉や魚などの動物性食品を取らず、野菜・芋類・豆類など植物性食品を中心に摂る人、とされています。

これをベースに、卵を追加できるのが「オボベジタリアン」、さらに乳製品を追加できるのが「ラクトベジタリアン」と呼ばれます。

〈ヴィーガン〉

ベジタリアンの中で、特に徹底している人たちがヴィーガンです。ヴィーガンは卵や乳製品、ハチミツといった動物由来のものを一切摂らないため、「ピュアベジタリアン」とも呼ばれています。20世紀半ばにイギリスから始まったといわれており、その語源は「VEG(ETARI)

AN」というベジタリアンを短縮した造語だそうです。

肉や魚だけでなく、例えば、マヨネーズなどの調味料、卵を使ったパンやケーキ、ドレッシングなども摂らないとなると、慣れていない提供側は戸惑ってしまいます。

何を出せば良いのでしょうか？

ヴィーガンのタンパク源として人気があるのは豆類です。

昨今はこのジャンルでユニークな食材が続々と登場しており、大豆が主原料で、肉のような食感を得られる代替肉は人気となっています。２００９年に創業したアメリカのビヨンド・ミート社は、「肉を超える」というネーミングで注目され、マイクロソフト創業者のビル・ゲイツやハリウッド俳優のレオナルド・ディカプリオが投資したことで日本でも話題になりました。

また、ファストフードを象徴するマクドナルドも、スウェーデンとフィンランドで「マックヴィーガン」というハンバーガーを発売するに至っています。動物由来の食材は一切使わず、パテは大豆、具材は野菜、ソースには卵を使わないというハンバーガーです。

ヴィーガンに人気のある日本産の食品では、こんにゃくを使った「サシミコンニャク」や「ゼンパスタ」がヘルシー食材として、特に欧州で知られています。

倫理や環境への意識など「思想」に基づくヴィーガンでは、その活動は食にとどまらず、環境保護や動物愛護といった社会的活動にも影響を与えています。

例えば、深刻な海洋汚染の原因となっているプラスティックを減らそうという動きもそのひとつです。その趣旨に賛同するコーヒーショップの「スターバックス」は、プラスティック製ストローの廃止を進めています。また、テニスのウィンブルドン選手権では大会中プラスティック製のストローの使用を禁止、ニューヨーク市は使い捨て発泡スチロール容器を禁止しました。日本でもレジ袋が有料化されるといった措置が進んでいます。

さらに、ロサンゼルスにおいては「ヴィーガン・ファッション・ウィーク」というファッションショーが開催され、クルエルティフリー（毛皮や革製品を使わない、動物テストしていない）なファッション、化粧品、そして食品が披露されました。

これらは、「ヴィーガンとは脱搾取を推進する社会運動だ」という考えに基づくムーブメントです。その広まりに対して、英誌『エコノミスト』は２０１８年末の世界予測レポートの中で、「２０１９年はヴィーガンの年になる」と発表していました。実際、食においては「オムニミート」のような画期的な食材が次々と開発されていて、テクノロジーの力で食材を新たに生み出していく「フードテック」はその市場規模が７００兆円ともいわれています（これらの新食材は、２０５５年に地球の全人口が１００億人に達するとみられるなかで、食糧難対策としても注目されています）。

ヴィーガン（的）思想が世界中で共感を広げるなか、今後、ファッションや化粧品などでも、さらに新しいものが生まれてくるに違いありません。「肉も魚も卵も食べないなんて、面倒な奴らだな」などと避けていると、日本は本当に「世界の周回遅れ」になってしまいます。そこにさまざまな可能性があることに気付くべきです。

実際2019年は日本でもヴィーガンが注目された年でした。最もセンセーショナルなニュースとして話題になったのが日本のヴィーガンレストランがユーザーによる投票で世界一を獲得したことです。その名前は菜道《さいどう》（東京・自由が丘）。ランキングを発表したのはベジタリアン・ヴィーガンのレストラン検索サービス「ハッピーカウ」です。ハッピーカウは世界500万人超のユーザーに使われていて、そのユーザーの投票により12万店舗の頂点に立ったのでした。菜道の躍進が注目されたのは、開店から僅か一年余りでの首位獲得という点もさることながら、トップ20に入った日本のレストランは菜道だけだったという点です。東京はミシュランの星獲得レストランが世界でもっとも多い都市でありながら、ベジタリアン・ヴィーガンの対応は世界の大都市に比べて大いに遅れています。そういった中での世界一獲得ということで、まさに世界中のベジタリアン・ヴィーガンが待ち望んでいた美食の都市・東京の名店の誕生に沸いたのです［図11］。

また大手メーカーもヴィーガンに対応した食品を「プラントベースド（植物由来食品）」で取り扱いを始めています。

食肉メーカーの国内最大手・日本ハムは大豆を主原料にした「ナチュミート」5品を2020年に投入しました。伊藤ハムは〝カツやナゲット風〟プラントベースド「まるでお肉！」8品を、丸大食品も大豆の肉を使ったカレーや麻婆豆腐など「大豆ライフ」シリーズを発売しています。

食肉企業にとっては、もともと肉や肉の加工食品は売上の中心的な存在です。プラントベースドという肉を使わない商品を発売するということは、もしかしたら主力商品の売上を減らしてしまう可能性すらあります。にもかかわらず大手が参入をし始めたのはプラントベースド食品市場を無視できなくなっているということなのでしょう。

イギリスから欧州各国、アメリカ、そして日本へとヴィーガンへの共感が生まれるなかで、ヴィーガンを公言する有名人が増えています。元米国大統領のビル・クリントン、俳優のトム・クルーズ、F1ドライバーのハミルトン、テニスのヴィーナス・ウィリアムズ、陸上のカール・ルイス、歌手のマドンナ、アリアナ・グランデ、ビヨンセらです。

ビヨンセにいたっては、完全なヴィーガンではないものの、同じく歌手である夫のジェイ・Zとユニークな企画を発表しました。ヴィーガンの食事を1カ月実践できたファンに、彼らのコンサートの生涯無料チケットをプレゼントするというものです。

ヴィーガンの奨励が目的ではなく環境負荷の軽減を求めるものだということですが、フォロワーが1億2300万人いる彼女のインスタグラムは騒然となりました。

賛同するかどうかはともかくとして、ヴィーガンは、今最も注目されるトレンドだといえます。

体質・体調による制限

体質によって特定の食物を摂れないという方もいます。代表的なのはアレルギー。最近知られるようになったグルテンフリーもその一種といえますが、グルテンフリーは、体調管理の目的で取り入れている人もいるようです。

[図11] すべて野菜だけで作られる菜道のヴィーガン料理（一例）

“うな” 重

“カツ” 丼

ヴィーガン小皿

すべてがヴィーガン料理

ラーメン

〈グルテンフリー〉

スポーツ界でも話題のグルテンフリーは、文字通り「グルテン」を摂らない食生活です。グルテンとは小麦、大麦、ライ麦、えん麦に含まれるタンパク質の一種のこと。パン、パスタ、うどん、麺、ピザなどに含まれ、もちもちした風合いを出すのに使われています。小麦粉を用いるお好み焼き、ラーメン、うどん、カレー、シチュー、スープや調味料にも含まれています。

グルテンフリーは、これらのグルテンを摂らないことですが、グルテンフリーについてはポリシーに基づく面と体質に基づく面の両面を持っています。

ポリシーに関していえば、主には健康のため、ダイエットのため、という志向です。グルテンフリーの有名人としてはテニスの世界王者・ジョコビッチ選手の名が挙がりますが、肉体のパフォーマンスを重視するスポーツ選手にはグルテンフリーを選ぶ人が多いです。2015年にオーストラリアのスポーツ選手約1000人に行ったアンケート調査では、41%の選手が何らかのグルテンフリーダイエットに取り組んでいるとの結果が出ています。

ただ、グルテンフリー自体は、本来は食事療法から始まっています。ジョコビッチ選手も、最初は食事療法でグルテンフリーを取り入れ、体調が著しく良くなったことから、それを継続しているといいます。

では、何のための食事療法かということですが、体質によっては、グルテンの摂取によって小腸に炎症が生じたり、アレルギー反応が出る人がいるのです。炎症がひどいものになると、小腸の粘膜を損傷させる「セリアック病」という深刻な病気を引き起こします。日本ではは患者は少ないといわれていますが、ヨーロッパでは約500万人以上の患者がいるという報告があります。

その意味では、グルテンフリーは、ハラールやベジタリアンとは異なり、命にかかわる対応だといえます。つまり、よりシビアに対応していくことが求められます。

どうも日本では、「グルテンフリーは小麦文化の欧米で必要なのでしょう？」と捉えられている節があるのですが、それは危険な考えです。今や国内の食糧用小麦の消費量は過去最高レベルで、日本人は麦食が主流になっているといえるからです。パン食の普及は言うにおよばず、先述の小麦粉から作られる各種食品は、日常食としてほぼ毎日口にしているものです。現にアレルギーを持った子どもが増えているのは、身近に感じられることではないでしょうか。

さて、具体的にグルテンフリーの人たちが避けている食品ですが、主なものでは、天ぷらやフライなどの小麦粉が使われている揚げ物、ラーメン、パスタ、そば、うどんといった麺類、パン、ピザ、ケーキ、カレー、シチューです。醤油、ソース、ケチャップにも小麦が使われている場合があるので注意が必要です。ハンバーグにも、つなぎのパン粉に小麦粉が使われていています。意外なところで使われていることがあるので、「大丈夫だろう」と思い込まないで、きちんと成分表を確認することが必要です。

主食になるものにも使われているグルテンだけに、その対応は容易でないところがありますが、昨今、日本でもグルテンフリーの食品が増えてきています。例えば乾燥シラタキは、「ゼンパスタ」としてヨーロッパでもヒットしています。米粉で代替しているヘルシーさに加え、商品名が「禅」というところにオリエンタルさがあり、ウケているのです。

もっとも、このように商品が普及していっても、「おいしいかどうか」には課題が残っています。ロンドンオリンピック（2012年）の選手村での食事に関するアンケートでは、栄養士から厳しい評価が出ています。評価のポイントは、温度、味付け、鮮度、見た目、種類、入手のしやすさ。温かいメニューと冷たいメニューの両方で、グルテンフリーは5点満点の半分以下に評価されています。

そのようななかで、米文化と開発力を持つ日本には期待が高まっています。

2015年には、国内最大の国際食品展示会フーデックスの「美食女子グランプリ」で、「グルテンフリーヌードル・フェットチーネ」が223製品の中から見事グランプリを獲得しました。同製品は玄米100％でつくられたグルテンフリー米粉麺ながら「玄米にある独特の臭みがなく、パスタのもちもち食感が再現されている。ダイエットにも最適」と、特に女性から大きな支持を得ています。

こうした状況を受け、農林水産省も動き出しています。2019年には「米粉の用途別基準」と「米粉製品の普及のための表示に関するガイドライン」を策定しました。米の消費拡大のチャンスと捉えているようです。

その市場規模は、2017年現在で47・2億米ドル（約5200億円）。それが、2024年には76億米ドル（約8360億円）に拡大すると予測されています。

ベジタリアン同様、グルテンフリーの有名人がイメージリーダーとして存在感を放っています。歌手のレディー・ガガ、女優のジュリア・ロバーツらがその代表格です。

〈アレルギー〉

グルテンフリーは本来食事療法である、と紹介しましたが、食においては、体質的に摂取できない、というケースがあります。アレルギーです。

今や日本人の2人に1人がアレルギーをもっているといわれています（2016年厚生労働省発表）。子どもも例外ではなく、その比率は年々高くなっています。学校の給食でのアレルギー対応は必須で、全国約7割の学校がその対応をしているとのこと。「牛乳」「卵」「そば」「エビ」「さば」「かに」「いか」について、除去対応や代替策を取るに至っています。

アレルギーとは、人間の体にある免疫（体を守ろうとする働き）が外部からの物質に対して過剰に反応することをいいます。全身または身体の一部がかゆくなったり腫れたりする「アトピー」と、生命の危機にまで及ぶような過剰に反応する「アナフィラキシー」の2つに大別されます。また、すぐに反応が出る「即時型」としばらくしてから反応が出る「非即時型」があります。主な種類は次の通りです。

吸入（空中）アレルゲン（花粉症など）
食べ物アレルゲン
接触アレルゲン（金属アレルギーなど）

薬物アレルゲン
昆虫アレルゲン

2005年に「我が国の約3人に1人が何らかのアレルギー疾患に罹患している」との報告がありましたが、それが2011年には「約2人に1人」となり、「急速に増加している」(リウマチ・アレルギー対策委員会報告書)との見解が示されました。なぜこれほどアレルギー患者が急増しているのでしょうか。

原因は諸説ありますが、有力なのは「衛生仮説」です。現代社会、特に先進国では衛生状態が良くなりすぎたためにアレルギーを発生しやすくなったというものです。つまり、きれいすぎる環境が人間の免疫力を低下させてしまったということです。

他にはストレスによる自律神経の乱れが免疫力を低下させていると考えられていたり、長年にわたって蓄積されたアレルゲンが時間が経ってから症状を引き起こすようになったとも考えられています。

この章の冒頭でも軽く触れましたが、アレルギーについては避けることが最も効果的ですので、食べものにおいては積極的な情報開示が求められています。命にかかわることですから、これには必ず対応していかなければなりません。何か起これば、責任問題になってしまいます。

そうした状況を反映し、2015年には食品表示法が施行されています。それまでの食品衛生法、JAS法(日本農林規格等に関する法律)、健康増進法の三つの法律を一元化して、これまで以上にわかりやすい食品表示を定めた法律です。
その中で、アレルギー表示の内容が変更になりました。原材料名の各々への個別表示が原則で、例外的に全てのアレルゲンを一括表示することが可能になりました。「特定原材料」としての7品目は表示を義務付け、「特定原材料に準ずるもの」としての20品目を可能な限り表示するように推奨しています。

表示義務がある7品目：えび、かに、小麦、そば、卵、乳、落花生
表示が推奨されている20品目：あわび、いか、いくら、オレンジ、カシューナッツ、キウイフルーツ、牛肉、くるみ、ごま、さけ、さば、大豆、鶏肉、バナナ、豚肉、まつたけ、もも、やまいも、りんご、ゼラチン

これらに加え、注意すべき食品には次のものがあります。

マスタード
アミノ酸（化学調味料）
乳製品
貝類
麦類

亜硫酸塩（酸化防止剤）
二酸化硫黄

品目が多くすべてを把握するのは容易ではないかもしれませんが、世界でもアレルギー患者は増加しています。アメリカでは1500万人、イギリスでは500万人、オーストラリアでは250万人に上るともいわれています。無視できるレベルではありません。

初対面の方をもてなすときは、「何か食べられないものはありますか？」の一言がいかに重要か理解いただけるでしょう。

「食べられない」にどう対応するか

さて、このようなさまざまな「食べられない」という多様性があるなかで、私たちはどのように〝おもてなし〟をしていけば良いのでしょうか。

ここでは、まず個人の方に向けて、ムスリムやベジタリアンを自宅に招くときに何を出せばよいのかをアドバイスします。

そして続けて、飲食店や観光産業に関わっている方に向けて、私からメッセージを送らせていただきます。おもてなしの基本については「個人向け」のところでまとめていますので、事業者の方々も、ぜひ「個人向け」の欄をご覧ください。

ここで触れることはあくまで初歩的なものですが、大切なことは基本ですから、まずは皆さんに最低限の情報が伝われぱと願っています。さらに専門的なコンサルタントが必要でしたら、当社「フードダイバーシティ」にお問い合わせいただければ、事業者はもちろん個人の方向けにも対応します。

おいしい対応法（個人編）

まず皆さんに気をつけていただきたいのは、前述のとおりアレルギーです。アレルギーは命にかかわるものですから、初めてお招きする方の場合は、必ず「何かアレルギーはありますか？」と聞くようにしてください。そして、もしアレルギーがあると知った場合には、調味料などの使用の際に「これを使っても大丈夫かな？」と確認すると良いでしょう。例えば調味料では、甲殻類のほか、クルミ入りのタレなどが出回っています。たとえ少量だとしても、使用する食品・調味料等については、しっかりお知らせしていくようにしましょう。

次に気をつけるべきことは宗教です。世界基準でみると、無宗教のほうが圧倒的に少数派です。

［図12］は、「世界が100人の村だったら」と仮定した場合の割合を示したものです。ご覧のように、100人のうち実に88人が何らかの宗教を信仰しています。

では、これらの宗教に対し、禁忌とどう向き合えばいいのか。［図13］をご覧ください。フードダイバーシティを考えるときに、この図表が参考になるはずです。

この図表は、左側に置かれた「ベジタリアン」を基準としています。それに何をプラスで

の宗教別割合

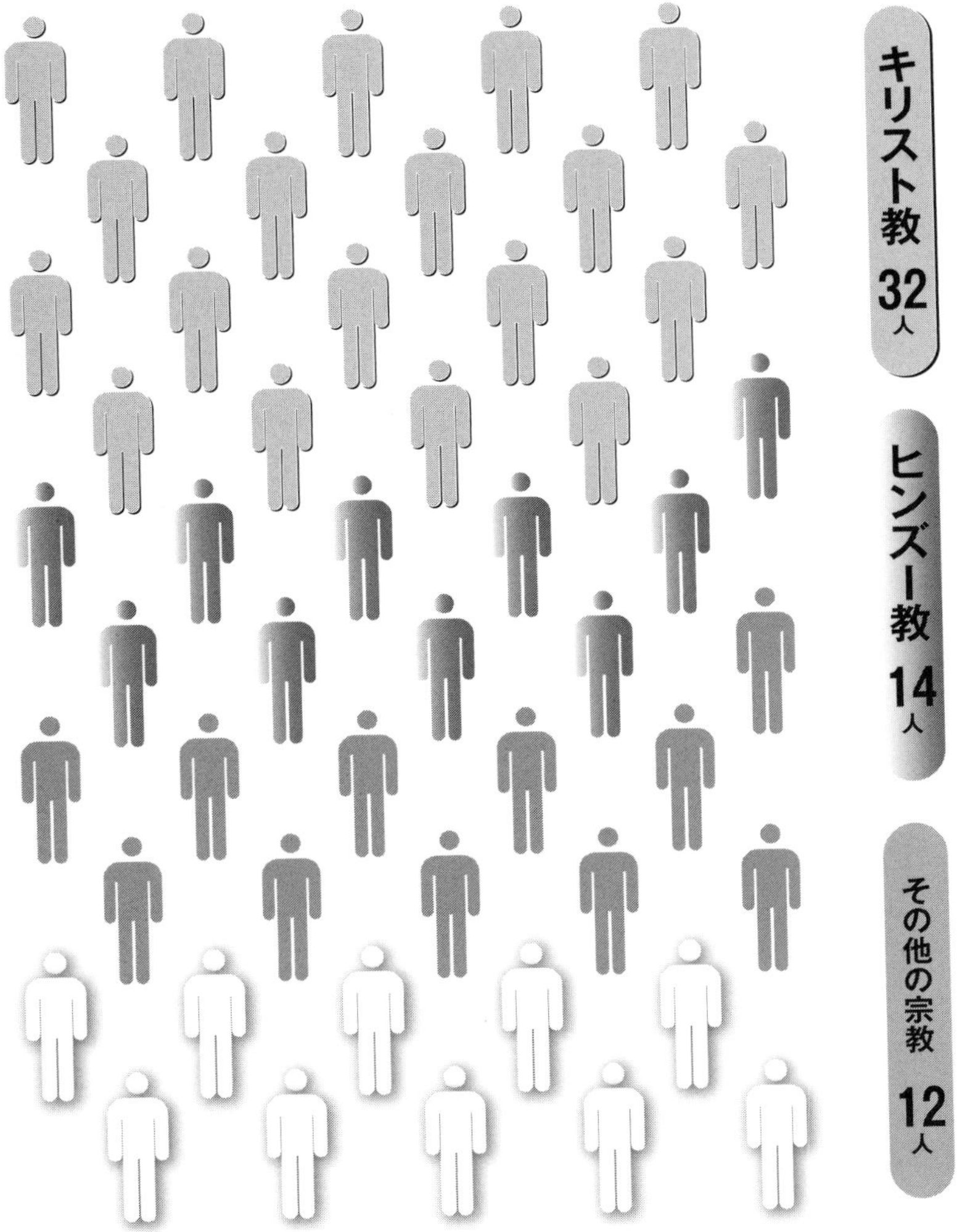

無宗教　11.8%／仏教　7.2%／キリスト教　32.8%／ヒンズー教　13.8%／ユダヤ教　0.2%／イスラム教　22.5%／その他の宗教　11.7%

[図12]「世界が100人の村だったら」と仮定した場合

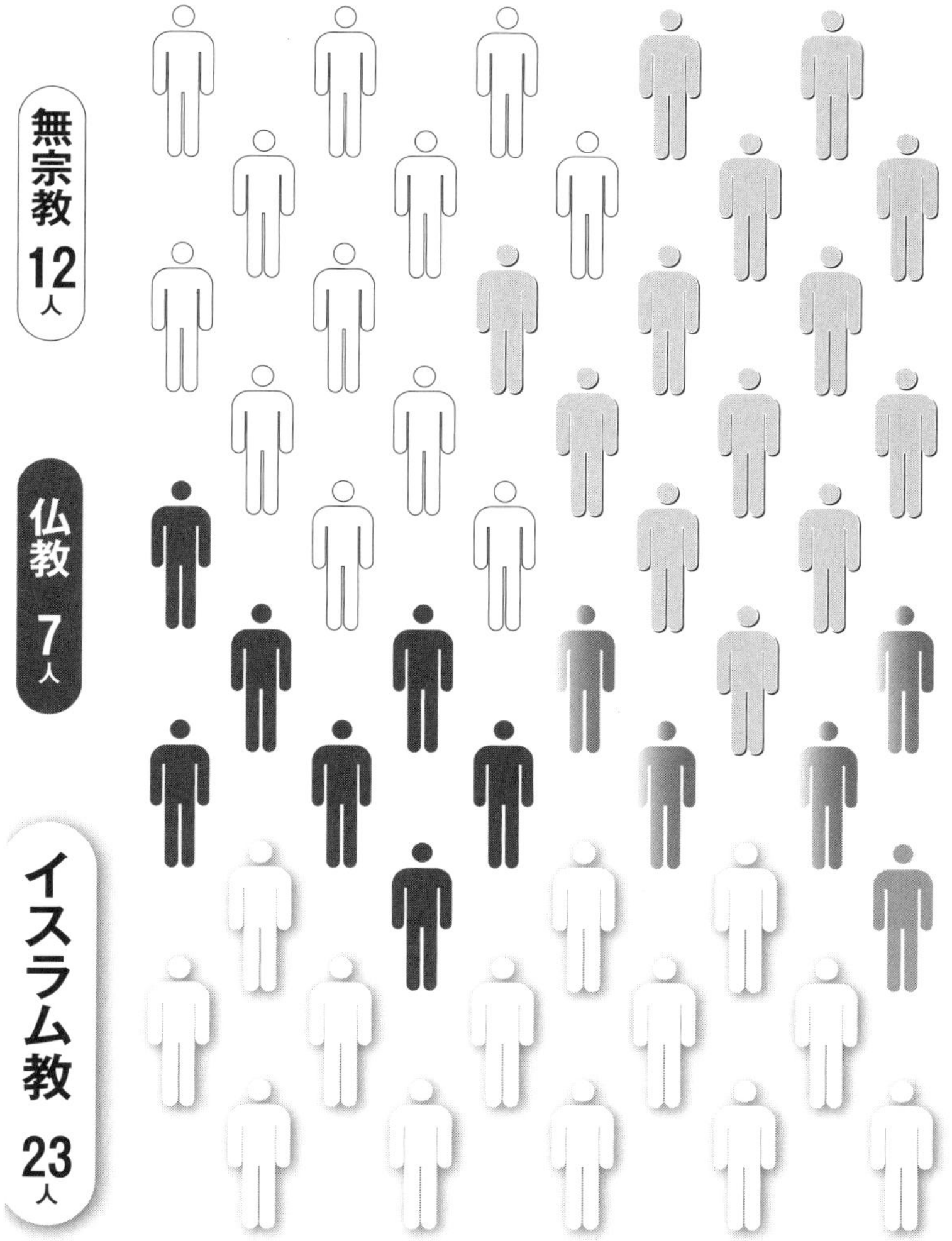

きるのか、何をマイナスすべきなのか、を確認できる表となっています。

例えば、最上部のイスラム教（ハラール）では、ベジタリアンメニューに、ハラール肉（ハラール処理された肉、ただし豚肉以外）と魚介類をプラスして食卓に並べることができます。一方で、ベジタリアンメニューから、アルコール成分の調味料は差し引かなければなりません。最下部のヴィーガンの場合は、ベジタリアンメニューにプラスできるものはなく、さらに乳製品や動物由来成分の入るものを差し引きます。

このように考えるとフードダイバーシティも取り組みやすくなるはずですが、そうなると知っておかなければならないのはベジタリアンメニューということになります。

よく知られるように、ベジタリアンとは、菜食主義者と紹介されます。肉や魚などの動物性食品を摂らず、野菜・芋類・豆類など植物性食品を中心に摂る人です。従って彼らをもてなすには、植物性由来の食品が中心――すなわちプラントベースドとなります。

プラントベースドというと、すぐに野菜をイメージし、「ベジタリアンはサラダばかり食べている」と思い込む方が多いですが、現代の彼らの食卓は実にバラエティ豊かです。

海外では肉・魚を用いないハンバーグ、刺身、卵などが普及しています。ナッツやフルーツ、全粒粉などを用いて肉や魚に食感を似せている食品なのですが、中には科学的な技術（フードテック）で特殊に開発されたものも出回っています。日本でも、豆腐ハンバーグなどは給食などでも提供されるほどポピュラーです。

ベジタリアンメニューをベースにする際、このような「植物性だけど食べ応えがある」という食べ物を用意しておくとお客様の満足度が上がります。

このような食べ物はネット通販で手に入りますし、業務用のスーパーマーケットなどでも買うことができます。また、商品の中には、ベジタリアン向け、ムスリム向けに作られたものも多数販売されています。これらは、「認証」という形で保証されており、パッケージからすぐに見分けられるようになっています。こうした商品を利用すると、簡単で便利です。

ちなみに、それらの商品のごく一部を、参考までにご紹介しましょう。

・グローバル

グローバルは、ハラール、ベジタリアン、ヴィーガン食品を幅広く提供している会社です。認証品だけでなく、フードダイバーシティ対応に使える食材も多く扱っています。

・侍ラーメン

侍ラーメンは、ノンアルコールのインスタントラーメンで、お土産品としても人気です。ヴィーガン対応なので、基本的にはどのような方にも安心して提供できるラーメンです。

・グリーンマンデー

急拡大しているアジア市場で最も普及している植物性代替肉「オムニミート」を提供しています。

ホルモン剤不使用、抗生物質不使用、遺伝子組み換え原材料不使用の

[図13] 禁忌とどう向き合えばいいのか

<table>
<tr><td rowspan="13">ベジタリアン</td><td>＋</td><td>ハラール肉＆魚介類</td><td rowspan="2">＝</td><td rowspan="2">イスラム教（ハラール）</td></tr>
<tr><td>－</td><td>アルコール成分の調味料</td></tr>
<tr><td>＋</td><td>ハラール肉＆魚介類（鱗あり）</td><td rowspan="2">＝</td><td rowspan="2">イスラム教シーア派（ハラール）</td></tr>
<tr><td>－</td><td>アルコール成分の調味料、甲殻類等</td></tr>
<tr><td>＋</td><td>コーシャ肉＆コーシャなもの</td><td rowspan="2">＝</td><td rowspan="2">ユダヤ教（コーシャ）</td></tr>
<tr><td>－</td><td>アルコール成分の調味料（諸制約あり）</td></tr>
<tr><td>＋</td><td>牛肉以外のお肉＆魚介</td><td rowspan="2">＝</td><td rowspan="2">ヒンズー教</td></tr>
<tr><td>－</td><td>五葷の野菜</td></tr>
<tr><td>－</td><td>根菜類</td><td>＝</td><td>ジャイナ教</td></tr>
<tr><td>－</td><td>五葷の野菜</td><td>＝</td><td>一部仏教（台湾など）</td></tr>
<tr><td>－</td><td>乳製品や動物由来成分の入るもの</td><td>＝</td><td>ヴィーガン※</td></tr>
</table>

※ 摂取しないもの: 動物の肉（牛肉、鶏肉、羊肉、鹿肉、魚肉、魚介類など）、卵、乳製品、ハチミツ、動物由来成分全般
その他グルテンフリー、ノンMSG（グルタミン酸ナトリウム: うまみ成分）などが求められます。個人差があります。

資料: ベジアライアンス ベジフード企業連合会

カラダにも環境にも優しい食品です。

・ニチレイ

言わずと知れた日本を代表する食品メーカーです。ベジタリアンも食べられるレトルトカレーのほか、万能ソースを開発するなど、フードダイバシティに対応したさまざまな商品を手がけています。

・エスビー食品

こちらも、誰もが知る食品メーカーです。フードダイバーシティと名付けたレトルトカレーなどを開発しています。

なお、インターネットではハラールやベジタリアン向けの専門サイトも存在します。必要がある方は上手に利用されると良いでしょう。

ただし、こうした商品を利用する際に、注意が必要なのは調味料です。よくある失敗なのですが、せっかく食材に気を配り、ハラール・ベジタリアン料理を用意したというのに、最後の最後、調味料にアルコール入りや動物性成分を含んだものを用いてしまうというケースがあります。特に注意したいのは、醤油やみりんです。これらはアルコールを含むものが大半ですので、アルコール無添加の醤油などをあらかじめ用意しておくことをお勧めします。

繰り返しになりますが、ベジタリアンをお迎えしたからとホウレンソウのおひたしを作っても、最後にかつお節をかけてしまってはすべて台なしです。スープなどを提供するときも、かつお出汁はＮＧ。本当によくある失敗ですので注意しましょう。

もう一つ加えると、商品名で「ベジ＊＊」などとあるものを見かけますが、これはベジタブル＝ヘルシー、健康、といったイメージから付けているもので、ベジタリアン向けとは限らないので注意が必要です。

具体的にどのような料理を振る舞うかについては、インターネットで検索できるので、ネット情報を参照して作っていくのが無難でしょう。繰り返すうちにレパートリーができてくれば最高です。

おいしい対応法（事業者編）

業者の方々へのアドバイスも、基本は、個人向けに説明したことと同じです。プラントベースドに、必要とされる対応をしていってください。

ただし、扱う食材によっては、より具体的かつ詳細な対応が必要となってきます。プラントベースドは寿司店では比較的容易だと思いますが、焼肉店にはなかなか困難な取り組みです。

迷いのある業者の方々には、当社「フードダイバーシティ」などのセミナーを受けることを強くお勧めします。インターネットを通じた「ウェビナー」のほかに各地の市役所、商工会などでセミナーを実施しています。ちなみに当社のセミナーでは以下のことを伝えています。

ハラール・ハラームの説明
ベジタリアンとは?
宗教による食の禁忌とは?
メニューをどう作るか?
食材をどこで手に入れるか?
調理器具はどうするべきか?
スタッフをどう教育するか。あるいは採用するか?
情報提供をどうするか?

「難しそう」と構えずに、面白がって受講してみれば、何となく感じは掴めることと思います。事業者の皆さんへ伝えたいのは、「対応は面倒」「難しそう」などと思わずに、これをビジネスチャンスと捉えてほしい、ということです。130ページなどでも強調しましたが、世界の4人に1人はムスリムですし、加えてベジタリアンがいます。日本が人口減少の時代に入るなか、フードダイバーシティに取り組むことで新しいお客様を獲得していってほしいと思います。

「正解はない」という基本

さて、このようにフードダイバーシティの基本的なことに触れたわけですが、実は、もっともっと大切な「基本」があります。

それは、「正解はない」ということです。

生真面目な日本人としては「その通りやればお客様が来てくれるものを提示してほしい」となるのでしょうが、実はそのようなものはどこにも存在しません。逆に、「これだけやればハラールは○Ｋ」「これで万全、ハラール対策」みたいな指南をしているコンサルタントがいたら要注意です。

実をいうと、私自身、苦い経験があります。ビジネスの交渉相手であるムスリムのお客さまを接待していたときのことです。

「これはハラールですから安心してお召し上がりください」

事前に念入りにお店を調べ、準備をしていた私は、きっと喜んでもらえるだろうと思いながらそう案内しました。

ところが返ってきた答えは辛辣なものでした。

「ヨコさん。お心遣いには感謝しますが、ムスリムではないあなたに、ハラールの何がわかるのですか？」

痛いところを突かれた！　というのがそのときの私の本音です。確かにそれまでの私は、多くのムスリムに取材をし、クルアーンを熟読し、英文のハラールの専門書にも目を通し、専門機関のセミナーを受講するなどしていましたが、言われてみれば、それらはすべて「知識」にすぎませんでした。モノを買うとき、食べるときに、聖典クルアーンに照らすというムスリムとしての経験を一度もしていません。そんな私が、あたかもハラールの権威のように振る舞うのは間違ったことだったのです。

先述のようにムスリムといってもスンニ派とシーア派でハラールの解釈が微妙に異なりますし、さらに細かな宗派もあります。また、各家庭でも、ハラールの捉え方が違うようです。むろん、個人での違いもあります。イスラム教では、神と信徒は1対1の間柄。クルアーンへの向き合い方は一人ひとり異なるのです。

わかりやすい例として、食ではないですが、お祈りへのスタンスをご紹介します。私の知るマレックさんは、どんな状況でも1日5回のお祈りをしないと気が済まないというタイプです。飛行機で移動中のときなどは、郷里の時刻を基準に、座席で最小限の動きでお祈りをします。そんなマレックさんにとっては、お祈りのスペースが皆無に等しい日本は生き地獄のような場所。しかし本人は「困難な状況で祈祷をするときほど、信仰の喜びを感じるときはありません」とおっしゃいます。本気か強がりか（あるいは嫌みなのか）わかりませんが。

一方で、旅行先でのお祈りは柔軟に対応しているというムスリムもいます。当社のオフィスがある浅草にやってくる旅行者の3割が訪日中はお祈りの数は減らすと割り切っています。それも、まったくしない、という人もいれば、朝と夜だけはする、という人も。向き合い方は本当にそれぞれです。

でも、みんなムスリムです。私たちは「ムスリムは1日5回お祈りをする」と決めてかかっていますが、その向き合い方は人によって異なります。そしてそれは、食についても同じなのです。

私のこれまでの経験でも、「日本で何を食べたいですか?」と空港でお出迎えしたムスリムから「日本といえばラーメン! さあ、豚骨ラーメンに行こう!」と言われて麺食らった、いや面食らったことがあります。また、「ドリンクはサッポロで」と、ビールを頑なにサッポロと呼び続け、あたかもそれはアルコール飲料ではなく「サッポロ」という名の飲料であるかのようにしてビールを楽しまれた方もいました。

でもよく考えれば、私たちに置き換えても、例えば四十九日法要をきっちりその日取りで行う人もいれば、その前後の日取りで執り行う人もいますし、法要自体を見送る人もいます。うちは仏教です、といっても、毎日お経をあげるご家庭もあれば、「うちって何宗だっけ?」という家庭もあります。もちろん今の日本の状況と意識的に宗教に向き合うムスリムとを同じに論じるのは暴論ですが、最大公約数的にいえば、似たようなことがムスリムにもいえると思います。

「ぶっちゃける」ことがおいしい

このように、「ハラール=こうするべき」という公式にとらわれるのは、決して正しい解を生むものではありません。重要なのは、相手に合わせて提供していくことです。

では、どのように相手に合わせるのか？　特に、不特定多数を相手にサービスを提供する飲食店の場合はどうすればよいのでしょうか。

私がお勧めしているのは、「ぶっちゃける」ことです。無理をしてハラールを保証するのではなく、ムスリムたちが自分で判断できるように情報を提供していくのです。

私たちはこんなふうにやっています。こんな食材を使いました。あなたのハラールの基準に照らして、いかがですか？

それが、私の考える理想的なハラール対応です。そして、「考えてくれているのはありがたい。けれど、私が求めるハラールは少し違うので、こういうことをお願いできませんか？」と聞かれたときに、その場で対応できると最高です。

たとえば、あなたが天丼の店を営んでいたとします。食材はシーフードと野菜を使っています。豚は使っていませんが、鶏肉を提供することはあるとしましょう。その鶏肉は、国産品で、ハラール認証は取得していません。

このようなケースで、ムスリム客から「私の天ぷらには、ハラール認証品でない鶏肉を揚げた油は使わないでほしい」と言われる可能性があります。私の感覚では、「ここは日本だから」と気にしないムスリムと、対応を望むムスリムの比率は半々くらいです。「お願いします」と言われたらどうするか。鍋一つと数リットルの新しい油で対応できることなのですから、できれば機転を利かせて彼らの期待に応えたいところです。

このような情報公開が実情に合っていることを示すデータがあります。我が社「フードダイバーシティ」では、ハラールやベジタリアンレストランを検索できるアプリ「ハラールグルメジャパン」を提供しているのですが、「ハラール認証されているお店です」「(ハラール認証されたお店ではありませんが)ハラール料理を提供できます」など18あるソート条件を設けたところ、実に80%以上のユーザーが「ハラール認証されているお店です」以外の条件を使用していたことがわかりました。

ここからわかることは、少なくとも訪日ムスリムたちは、自分で考えて店や料理を選択するということを日常的に行っているということです。彼らの本音は、「ハラールかどうかは自分で判断するから、何が入っていて、どう作られているのかを教えてくれ」というものなのです。

多くの人が犯しがちなミスは、「以前会ったムスリムはこうだったから、同じムスリムのあなたもこうでしょ?」と決めつけてしまうことです。そうではなく、こちらの取り組みをできる限り開示して、相手に選んでもらう。この「ぶっちゃける」ことが最大のサービスです。

便利なビュッフェ

――と、このようにお伝えしてきましたが、「でも、どんな料理を出せばよいのか迷ってしまう」「一緒に食事に行くとしたら、どういうところが良いのだろう?」と、戸惑っている人がいるかもしれません。

そういう人たちに私がお勧めしたいのはビュッフェです。ビュッフェは品数が多いですし、自分で食べるものを選べるので、満足度が高いです。安心して食べられるということと、選ぶ楽しさがあり、私自身もよくムスリムたちと出掛けます。もちろん、ベジタリアンなどをもてなすのにも使いやすいです。コロナ前まではこれでよかったのですが、第1章（31ページ）でも触れた通り今後はワゴンビュッフェが使いやすくなるでしょう。

自宅にムスリムやベジタリアンを招待するケースでも、ビュッフェをイメージしながら品数を増やして出す、というのは一つの方法です。その場合、全部を手料理で考える必要はありません。例えば、刺身などは買ってきたままで提供できますし、トルティーヤチップスなども便利です。これらに加えて、先述した食品メーカーによるハラールやベジタリアン対応食材を使えば、食卓はバラエティー豊かになります。

あとは、食事しながら気軽に「これはこんな食材を使っているよ」「こんなふうに作っているよ」と伝えていくようにすれば完璧です。そこから食卓の会話も弾んでいくことでしょう。

個人的な体験から一つアドバイスするとすれば、チリソースをテーブルに置いてあげると、おもてなし度がアップするように思います。ムスリムはチリソースが大好きです。日本料理であれ中華であれ、彼らのお皿に乗れば、瞬く間にチリソースで真っ赤に染まっていきます。もちろん、全員が全員そうするというわけではありませんが、仮にそんな食べ方のムスリムに出会っても、それもまた食の多様な在り方だと温かく受け入れましょう。

知っていると便利
ハラール認証

ハラール認証とは、第三者機関が「これはハラール（許された）食材・商品である」と認めることをいいます。対象は、食品だけでなく化粧品もありますし、またお店そのもののハラール認証もあります。認証されると証明書が発行され、商品や店舗にロゴマークを付記することができます。

ハラール認証は世界各地で用いられていますが、世界で統一されたハラール認証はありません。とはいえ、数百ある認証マークでアラビア語の「ハラール（حلال）」の文字を共通して使用しているので、目印にはなります。

日本国内にも幾つかの認証団体があります。貿易業界でいうと、マレーシアのハラール認証機関に相互認証される団体に、宗教法人日本ムスリム協会、NPO法人日本ハラール協会、NPO法人日本アジアハラール協会、宗教法人日本イスラーム文化センター、一般社団法人ムスリム・プロフェッショナル・ジャパン協会、一般社団法人日本ハラールユニット、一般社団法人ジャパン・ハラール・ファンデーションの7団体があります。

日本の市中のスーパーマーケットではまだ商品の陳列は少ないですが、ムスリムをもてなすときに安心して使えるので便利です。業務用スーパーや大手百貨店、あるいはネット通販サイトであれば、ハラール認証を確認して入手できることが多いです。

第 4 章

未来予想図

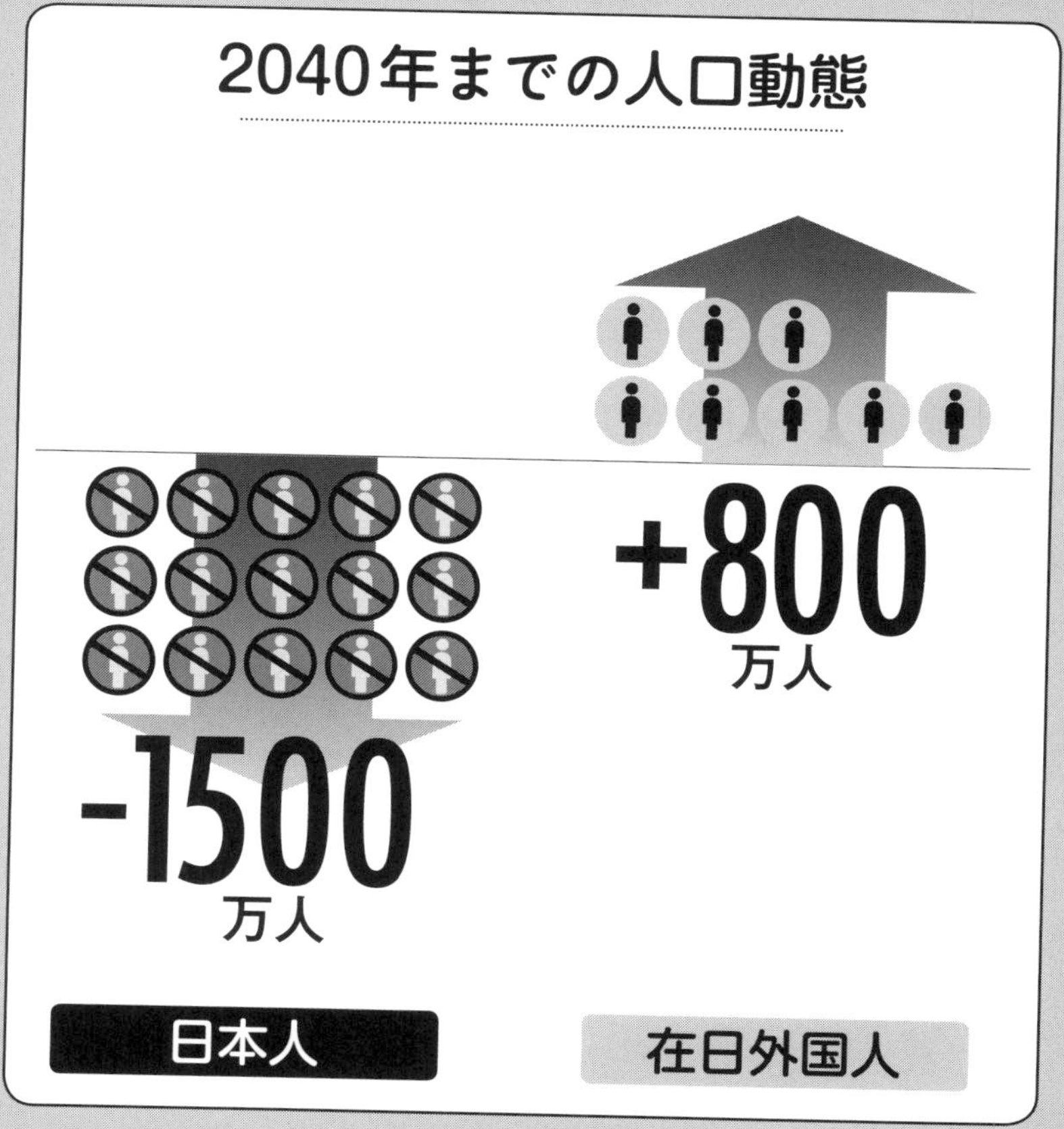

出典：みずほ総合研究所

では、変わったらどうなるのか？　変わらなかったらどうなるのか？　それをデータと実情に基づいてシミュレーションしてみましょう。ここでは二つのシナリオを描いてみます。日本のダイバーシティが進んだポジティブシナリオと進まなかったネガティブシナリオです。ちょっと極端な比較だと思う読者もいるかもしれません。しかし、本書でこれまで見てきたように、30年前私たちは今の日本や世界の姿を想像できなかったと思います。従って、２０２０年から２０４０年を見据える時、私たちは少々極端かもしれないくらいのシナリオを描いておく必要があります。

今始めればポジティブシナリオに近づける。始めなければネガティブシナリオに近づいてしまう。これから示す２つのシナリオを通じて、読者ご自身のシナリオを描いてみて下さい。

果たして２０２０年のコロナ危機を乗り越えた先にあるものは――。

ポジティブシナリオ

２０４０年日本の総人口は、２０２０年とほぼ変わらない1億２３００万人。日本国籍・日本出生の人の数は２０２０年より も１５００万人減少しましたが、外国からの移入者が８００万人増えています（★1）。

外国人の国別では、中国、ブラジル、ベトナム、フィリピンが多いですが、近年はインドネシア、マレーシア、インド、パキスタンといった国々からの移入者が大きく増えています。

彼らの多くは、東京、大阪、名古屋、福岡といった大都市とその周辺に暮しています（★2）。多死社会を背景に空家の問題が生じているなか、一軒家や分譲マンションを手にする外国人も珍しくなくなってきました。

マレーシアから移り住んできたリズマンさん（28）です。

半年前に購入した築10年の分譲マンションは、東京都北区の荒川沿い。ビルの立ち並ぶ街は苦手だけど、川を眺めていると心が落ち着く、と話します。

東京に来たのは6年前。外国人技能実習生として工場勤務をスタートし、実習期間終了後、そのまま同じ工場に正社員として就職しました。東京でのマレーシア人の集まりの中で奥様となるアイシャ

★1
みずほ総合研究所は、規制緩和などで外国人が年間25万人ペースで増えると２０６０年時点でも人口1億人を維持できるとしている。２０１７年時点で外国人の増加数は17万人であり、年間25万人超の増加は「夢物語」ではない。

★2
２０２０年時点で東京都の総人口に占める外国人の割合は３・８％。

さんと出会い、2年前に結婚。安い6畳一間のアパートで暮していましたが、2人とも「このまま東京で暮したい」との意向が強く、ローンも組めることから、マンション購入に踏み切ったとのことです。今、奥様のおなかには、2人にとって最初のお子さんが宿っています。

「東京はとても暮しやすいです。若い人たちは英語が通じますし、英語ができない高齢者の方に出会っても、今は誰でも自動翻訳機能がついたデバイスを持っています（★3）。昔と違って今のデバイスはマレー語もほぼリアルタイムで通訳してくれますから、細かいニュアンスを伝えたいときにも重宝します。

食？　食で困ったことは最近はほとんどないです。私も妻もイスラム教徒ですが、ファミリーレストランでもハラール食がありますし、スーパーの買い物でも、ハラール認証された商品がほとんどですので、安心して買い物しています。本格的に郷土の料理を食べたいときは、ハラール認証されているマレーシア料理レストランにも出掛けています。もちろん、ネット通販も活用しています。昔は食材の成分をいちいちチェックして購入していました。日本人にハラールかどうか聞いてもわからない人がほとんどでしたので、非常に大変でしたよ。今は便利ですね」

とリズマンさん。

外食については、奥様が答えてくれました。

★3
2019年にグーグルが無料提供を発表した翻訳アプリは44言語に対応している。

「私たち、2人とも日本食が大好きなんです。それで、食べ放題のしゃぶしゃぶレストランとか、回転寿司とかによく出掛けます。私たちがよく行くしゃぶしゃぶレストランは、ハラール処理された牛肉のコースを用意してくれているので、同胞のムスリム客をよく見かけます。私たちの大好きな甘いコーヒーや紅茶も豊富にそろえてくれているので、本当にいい店ですよ！」

子どもを出産し、育てることへの不安はないのでしょうか？

「親族が身近にいないことへの不安はありますが、地域や施設に対しての不安はあまりないです。昔は女医さんも少なかったし英語が通じるお医者さんも少なかったのですが、今はどこでも外国人医師がたくさんいますし、病院食もハラールやベジタリアンから選べますので安心です。むしろ、病院についてはマレーシアより日本は医療技術も施設も優れていますので信頼できて心強いです。

東京に暮らすマレーシア人の先輩ママに聞いたら、保育所も、給食やおやつなどはプラントベースドが基本になっていますので、ムスリムもノンムスリムもベジタリアンも皆んなで食事ができるように対応してくれているそうです。かつては多かったまったく未対応という保育所は、今となってはなくなったようです。

とにかく、ハラールのことをちゃんと考えてくれているのがうれしいです。さすが、日本は気配りの国ですね」

奥様はそう話します。

人なつこいご夫婦は、すぐにマンションの住人とも仲良くなったそうで、特に階下のご夫婦とは頻繁に一緒に食事をする仲だそうです。ゴミの出し方や、近隣の事情、穴場のお店などいろいろと教えてくれるそうです。家で食事に招いてくれるときも、ちゃんとハラール料理を出してくれるので、「郷里の友人と同じ感覚でお会いしています」とリズマンさんご夫妻はにこやかに話します。

そこで、階下のご夫妻も訪ねてみました。山本さん夫妻です。小学3年生と1年生のお子さんをお持ちです。リズマンさん夫妻について、山本さん奥様はこう話します。

「子どもの頃から学校でも習い事でも外国籍の方がたくさんいたので、人種でどう、とかいう感覚はまったくないです。私たちの親世代には、そういう拒絶感みたいなのは少しあるみたいですけどね（★4）。

私は英語はそれほど上手ではないですが、話すことに恐れはないです。単語を並べれば通じるからＯＫ、みたいな感覚があるので（笑）。

リズマンさんについては、おふたりとも日本語がお上手だし、純粋に、一緒にいて楽しいですね。外国の話もたくさん聞けますし。助けてあげている、とかの感覚はまったくないです」

ハラールへの理解は、どのように培ったのでしょうか？

「うーん。自然に身に付いた、という感じですよね。ユーチューブ

★4
『〈超・多国籍学校〉は今日もにぎやか！』（岩波ジュニア新書、２０１８年刊）の舞台、横浜市立飯田北いちょう小学校では、児童の6割超が外国にルーツを持つことで知られる。

の『バグース（ビバ）！ハラール！』も好きで観てましたし、たまに、『これはNGかな……？』と迷うときもありますけど、そういうときは、必ず料理を出す前に『これは○○が入っているけど大丈夫？』と伝えるようにしています。

やっぱりこういうのって、信頼が大事だと思うので、隠して出す、みたいなことだけはしないようにしています。それについては、学校で習いましたね。『わからないときは、相手にちゃんと伝えて、判断をしてもらいなさい』という感じで、道徳とか生活とかで、結構何回も言われた気がします」

山本さんが話した『バグース（ビバ）！ ハラール！』は、ムスリマタレントとして有名なサーシャさんが発信した人気ユーチューブチャンネルで、料理やファッションなどムスリマの暮らしをファッショナブルに紹介したシリーズです。サーシャさんが着る服はあっという間に売り切れるほどの支持を集め、サーシャさんがデザインしたヒジャブは、世界中で3億枚が売れるという社会現象を引き起こしました。料理については、栄養士の資格も持つというサーシャさんがイチから手ほどきしたもので、このユーチューブは、プロの料理人もハラール化に向けて参考にしていたといわれます。

ついでに触れると、ムスリマタレントはサーシャさんのほか、二言目には「ファイアー！」と叫びながらファイアーダンスの一発芸を見せる女性芸人のシラさん、頑なにヒジャブで口元を隠すグルメレポーター・ディアンさん、正当派美女のマリアムさんなど、芸能界の一カテゴリーとして認識されるほどに活躍を見せています。

また、音楽では「ミップスター」なるジャンルが生まれ、イスラム的な神秘性を帯びたヒップホップがブームとなっています。

さらに、東京を舞台にムスリムとノンムスリムの間にある宗教観の違いや葛藤を描いた映画「オーマイディア」は、主演の二人の美貌と、ロミオとジュリエットに通じる普遍的なテーマ、そしてハラハラドキドキのストーリーによって、「過去10年で最高の映画」とも評され、社会的現象になりました。

芸能からブームが生まれると、特に若い世代には急速に浸透していきます。ムスリマタレントたちの活躍もあり、最近の若者たちの間には、ムスリムへの偏見どころか、親近感、中には憧れを抱いている人も現れるようになっています。数年前からは、突然、イフタールが日本でも行われるようになりました。イフタールは、断食期間となる約1カ月のラマダンが明ける夜に開かれる伝統的な風習で、現地では、日没を告げる知らせと同時にあちこちで歓声が上がり、断食から解放された人たちが思う存分に飲食を楽しみます。さらに、露店が出て、洋服などをセール販売します。日本のお正月に似た雰囲気があり、国中がお祝いムードに包まれます。

このイフタールを、ラマダンの1カ月の断食はせずに、いいとこどりだけをするのが、何とも日本らしいです。日本では、町の飲食店がラマダンスペシャルと称して特別メニューを提供したり、デパートがイスラム諸国の品々などをセール販売したりしています。このお祭りもきっと、クリスマスやハロウィンと同じように、日本社会で定着していくのでしょう。

このように日本社会とムスリムとの共生が見られるなかで、観光地もにぎわいを見せています。2019年に3200万人だった訪日観光客は、いまや5000万人（★5）。東京、大阪といった大都市や、北海道や長野県などのスキーリゾートが多くの観光客を集めています。そんななかでも特に爆発的な人気を得ているのが、神戸です。神戸に初めて来たというサウジアラビア人のアハメドさんに話を聞けました。

「ぼくたちの国サウジアラビアにはメッカがあるけれど、この極東のメッカ（＝神戸のこと）も素晴らしい。私は子どもの頃から、一度はこの神のお膝元に来たいと願っていました。今、感動に包まれています」

でも、どうして神戸？　なぜ、ここがメッカなんですか？

「コウベはカーバ（サウジアラビアのメッカにある神殿）の音に似ています。また、預言者ムハンマドが最初に建てたクバーモスクの音にも似て

★5　2020年時点で、政府は訪日外国人旅行者数を2030年に6000万人に増やす目標を立てていた。このうち、3600万人はリピーターとしている。

います。そして神戸は神の門戸という意味。第二次世界大戦中の激しい空襲にも、阪神・淡路大震災にも耐えて立ち続けているモスクがあるここは、神のご意思で守られた場所なのです」（★6）

「でも、この旅の喜びは、それだけじゃないですね」

と続けてくれたアハメドさん。その喜びの種はなんと――、神戸牛です。

「ここは、最高のハラール牛が食べられると聞いています。今夜、予約しているんです。楽しみだなぁ」

ハラール神戸牛は、飼育の段階からハラールに徹し、屠殺から流通まで、すべてハラールに従って生産している牛肉です。世界的にも有名な神戸牛のハラール版は、若いムスリムたちの憧れの一品になっています。

神戸は京都、大阪にも近く、観光プランを作りやすいというメリットもあります。周辺にはスキー場も多く、「雪で遊びたい」という南国からの観光者たちを引き寄せています（★7）。

また、最近流行しているのは、東北や九州の山間地でよく実施されている「ヘルシーツーリズム」です。これは、1週間から2週間のロングステイで、心身をリフレッシュするものです。温泉地で里山を散策し、山菜などの健康的な食事をし、人によってはダイエットなどにも取り組むもので、そば打ち体験といった日本らしいもの

★6
1935年建立の神戸ムスリムモスクは現存する日本最古のモスクとされる。第二次世界大戦中の大空襲でも焼失しなかった＝写真。また、「神戸＝神の戸」という地名からある種の神意を感じるとされ、ムスリムにとって特別な場所となっている。

から、ヨガやサイクリングなどのアクティビティも用意されています。写真コンテストや俳句体験など、文化的な仕掛けも人気を呼んでいます。夏はヘルシーツーリズム、冬はスキー場運営を行う地域もあり、そうした場所では、リピーターをがっちり掴んでうまくいっているところもあります。

意外に知られていないことですが、実はムスリムたちは大の甘党。戒律でお酒が禁じられていることもあり、砂糖が嗜好品の一つになっています。

そんな国々では、糖尿病患者が増えています。シンガポールでは首相が「糖尿病との戦争」を宣言し、マレーシアでは首相が「糖尿病の罹患（りかん）率が非常に高いのは砂糖の摂り過ぎが原因だ」と述べ、清涼飲料に課税をする措置まで取りました（★8）。それらの成果も出てきていますが、依然、糖尿病の人が多いのが現実。「健康の国」「長寿の国」ニッポンで健康的にスリムになりたいという要望は多くなっています。

健康的なダイエットといえば、日本では以前から流行の兆しがあったゆるベジが、いよいよ定着してきました。ゆるベジは、ゆるいベジタリアンのこと。要するに、ソフトなベジタリアンで、フレキシタリアンと呼ばれています。

彼らはふだんは肉を意識して摂らず、週末だけとか、お祝いのと

★7
岩手県の安比スキーリゾートでは、外国語に対応できるインストラクターによるスキー教室や、公衆浴場を望まないムスリム客のために貸切風呂を提供するといったサービスを実施。リゾート内のレストランはハラール認証を取得し、ハラール弁当をゲレンデのフードコートまでデリバリーするサービスも行っている。

★8
酒を飲まないムスリムにとって、甘い飲み物は重要な嗜好品。辛いものを食べ、喉が乾くと甘い飲み物を大量に取る。マレーシアでは18歳以上の31・3％が糖尿病罹患者になるとの予測から2019年に通称「ソーダ税」を導入。ほかにブルネイ、タイ、フィリピンといった周辺国でも取り入れられている。

きだけなど、特別なときにだけ肉類を口にする、というスタイルです。思想的にはベジタリアンに共感するけれどそこまでストイックにはできない（したくない）というスタイルで、すっかり市民権を得ました。感覚的には、今ではほとんどの女性がゆるベジのように思われます。

ベジタリアン向けの食品もたくさん出てきました。スーパーの棚には、ハラール食品と共に、ベジタリアン向けのインスタント食品も多数並んでいます。最近では、行楽地や遊園地、博物館などでもハラール向け、ベジタリアン向け食品がふつうに提供されています。もちろん大学でも食の多様化は普及しました。いま、ハラールやベジタリアン対応食を提供しない学食はどこにもないのではないでしょうか？　あったら嘲笑ものでしょうし、海外からの留学生もいないでしょう。

大学は、今や、日本人よりも外国人のほうが多いというところも出てきています（★9）。その空間では英語が標準となり、日本人学生も当たり前のように英語で会話し、学んでいます。

ビジネスの世界でも、英語が標準化してきました。職場に外国人が1人以上いる、という会社が、国の調査で8％に上ることが先日発表されています。上場企業に絞ると、35％という高水準です（★10）。

また、ビジネスにおいては7Gを活用した在宅ワークが完全に定着し、情報産業などでは海外の外国人がオンラインで〝勤務〟する

★9
173ページ、「立命館アジア太平洋大学」参照

★10
厚生労働省に届け出のあった外国人労働者数は、２０１９年で約１６６万人。これは前年比約13％の増加で、年間で約20万人が増えた計算になる。

ことが珍しくなくなっています。

　こうしたなかで、海外向けの日本製品が再び存在感を持ち出し、特にハラールマーケットでは、食品、ファッション、美容、医療、情報通信の分野で一定のシェアを取れるようになってきました。最近はベジタリアン向けに開発された大豆と米粉で作る「なりきりステーキ」が、その食感、香り、見た目などがステーキそのものだと世界中で爆発的に売れています。ベジタリアンには、一振りで深い味わいが出せるという海草と山菜ベースの「山海まるだし」が必需品とまで評され、人気になっています。

　ヘルシー、スマートといったもともとの日本へのイメージ、そして、なんといっても信頼があるなか、日本企業発の商品がどんどんと世界市場に発信されていっています。これからの日本企業の活躍に目が離せません。

ネガティブシナリオ

2040年、日本の総人口は1億1900万人で、人口減少に歯止めがかからなくなっています（★11）。このうち外国人は400万人。労働力として期待された外国からの若い移民が増えず、政府は二の矢三の矢となる外国人招致の政策を打ち出しましたが、それはかえって、言葉は悪いですが、質の良くない外国人を招く結果になってしまいました。中には読み書きができず、英語もできず、日本語を覚える意欲もなく、ゴミ出しで近隣住民ともめたり、交通ルールの無視によるトラブルを起こしたり、日本人とだけでなく、外国人同士のケンカなども絶えなくなっています。とりわけ、無免許運転者が後を絶たず、数年前には、無免許運転・無保険の外国人による事故で幼い兄弟が犠牲になり、社会問題となったこともありました（★12）。

外国人の移入が思うようにいかなかった転機は、明らかにあの2020年の新型コロナウイルスです。後に有識者を交えた検証委員会も開かれましたが、コロナ禍を経て来日した外国人が日本の非寛容さに辟易し、「日本は旅行すべき場所ではない」とのレッテルを貼ったことが明らかになっています。

なぜそのようなレッテルが貼られてしまったのか。その原因ははっ

★11
国立社会保障・人口問題研究所は、2040年の総人口を1億1092万人と推計。2053年に1億人を割るとしている。

★12
日本で自動車を運転する場合は、日本の免許証またはジュネーブ条約に基づく国際運転免許証などが必要。

きりしています。まずは、ムスリムへの無理解。コロナ禍が終わり、サウジアラビアやカタールなどからの富裕なムスリムが多数日本を訪ねてきましたが、高級レストランでさえハラールに対応していないことに立腹し、ある者はあきれ、ある者は店長を呼び出し、かなり激しい言葉でののしったといわれています。

（中には「では、やむを得ない」と、ここぞとばかり美食に舌鼓を打ち、〝やけ酒〟をあおったムスリムもいたと聞きますが、真偽は定かではありません）

ヨーロッパからの富裕層の反応も凄まじいものでした。どちらかといえば上流階級の人に多いベジタリアンですが、２０２０年の日本の飲食店には、彼らの要望に応えることができませんでした。高級日本食レストランの前菜でイカの塩辛が出てきた瞬間に席を立ったベジタリアンの有名人がいたという話もあります。彼は世界トップクラスの資産家で、そのレストランを半年前から予約していたそうです。もちろん、予約時にベジタリアンであることは伝えていました。にもかかわらず、いっさい口にせず席を立ってしまったのですから、その失望は大きかったことでしょう。

ヴィーガン・ベジタリアン検索アプリの『ハッピーカウ』によると、２０２０年当時の東京のヴィーガンレストランはわずかに77軒でした。同時期にロンドンでは６２２軒、ニューヨークでは７２８軒であったことを考えると、東京は全く不足していたのです。

食の問題だけでなく、ムスリムたちからは、「お祈りする場所がどこにもない」という悲鳴にも似た嘆きが各所で叫ばれました。また、「日本は教育先進国と思っていたのに、英語がほとんど通じない」ということも、各国で驚きとして受け止められたようです（★13）。さらには、「『おもてなし』と言っていたわりに、もてなされた感じはしなかったな。『これが最高のサービスだよ』と押し付けてくるような上から目線が鼻についたな」という感想を持った外国人は少なくなかったようです。

ともあれ、明らかに日本の経済成長、国際性は2020年を機に失速し、20年がたった今では、どのようにすればV字回復ができるのか、その解決の糸口すらないような状況になっています。

日本に6年暮しているというマレーシア人のリズマンさんです。2年前に同胞の女性と結婚し、奥様はいま妊娠8カ月です。半年前に、一念発起し、中古の分譲マンションを手に入れたのですが、早くも、ここを出ようかと迷っているといいます。

「東京での暮らしには、来日当初から息苦しさを感じていました。日本に馴染み、日本語を覚えれば状況は変わるはずと思って頑張ってきたのですが、何も変わっていかないように感じています。

職場ではみんなよそよそしいですし、引っ越してきたこのマンションでは、挨拶しても誰も返事すらしてくれません。

★13
非英語圏の成人の英語力を比較するEF英語能力指数で、日本は「低い英語能力」と判定されている（2019年）。同指数が英語に興味がある人を対象にしていることから、国民全体ではさらに評価の低いものとなるだろう。

街に出ても、安心して食べられるものはほとんどないですし、スーパーでは商品がハラールかどうかわからないので、買い物にものすごく時間がかかります。ずっと商品棚の前に立っていたせいか、これまで2回ほど、万引きを疑われたこともあります。奥の事務所に連れて行かれ、バッグの荷物を全部出させられ、最後には『外国人がいつまでも店をウロウロするなよ。テロでもするんじゃないかって、ちゃんとした客が逃げちゃうよ』とまで言われました。

電車に乗っていても、私が座ると、それまで席についていた人がすっと席を立つことが少なくありません。単に私たちを毛嫌いしているのか、テロなどと思い込んでいるのかわかりません。

マンションを買ったばかりですけど、手放すなら値がつく早いほうが……とも思っています」

妊娠中の奥様はどう考えているのでしょうか。特に子育てについては。

「正直、不安しかありません。同胞の先輩ママに聞くと、保育所でも小学校でも、給食やおやつでハラール対応はほとんどしていないとのこと。『個別の要望には応えられないので、我慢するか、弁当を持参するかにしてください』とはっきり言われた人もいるそうです。

これから、出産で入院することになりますが、そもそも女医がいません。ムスリムの女性は女医に診てもらう必要があるんです。それに私がかかっている病院ではハラール食を出してくれません。もうこれは仕方がないと思って、この期間だけは戒律を破る覚悟でいます。神もきっとお許しになるでしょう。

ただ、私たちの場合は親族が近くにいないので、今後のことを考えて、帰国したほうがいいんじゃないか、と夫と話しています」

そんな2人を、周りの人はどう見ているのでしょうか？　マンションの階下に暮らす山本さん夫妻に話を聞くことができました。奥様のコメントです。

「マンションを買うのは個人の自由だからどこの国の人でも仕方ないと思うけど、あのゴミの出し方とか、やたらフレンドリーにしてくるのとかはやめてほしいですね。ゴミは分別がぜんぜんできていないのだけど、自分たちで変だと思わないのかしら？　日本人ならちゃんと案内を読んで行動すると思うのだけど、そういう文化がないんでしょうね。

一度、近所のスーパーで買い物している姿を見かけたことがあるけど、長いこと見比べていて、とにかく安いものを選んでいるのだなとピンと来ました。『そんな無理して日本でマンションなんか買わなきゃいいのに』と思いましたね、正直」

そんな山本さんは、子どものころから、外国人との接点はほとんどないといいます。

「学校に何人かは外国の子がいましたけど、特にイスラム教の子は、あれは食べられない、これはいやだ、みたいなことをよく言っていて、正直、好きじゃなかったですね。日本語も変だったし。

英語？　私は英語はできないです。覚える気もないです。外国旅行も興味ないですね。なんか怖いし、そもそも高くて行けないですよ。

食のことですか？　うーん、よくわからないですね。イスラム教の人ってお酒が飲めないんでしょ？　あと、豚肉だっけ？　牛肉？　どっちかが食べられないんですよね？　よくわからないな。まあ、関係ないから、どっちでもいいですよ」

目を転じて、日本を訪ねてくる観光客も減っています。ピーク時に3600万人にまで近付いた訪日観光客は、いまや2000万人を切る始末です。内訳を見ると、この数年ずっと上位にいるのは中国人観光客。アニメやゲームファンのヨーロッパ、アメリカからの観光客も多いですが、イスラム諸国の観光客は伸び悩んでいます。特に、距離的にも遠い中東、北アフリカからの観光客はほとんどいない状況です。かつては豪華客船が博多、神戸、横浜などを寄港しましたが、現在はその数もずいぶんと減りました。

ムスリムの渡航者が伸び悩む分、相変わらず、遊園地や博物館などではハラール対応をしていません。大学でも、学食をハラール対応させたのは、全体の3分の1程度に留まっています。さすがに国公立や有名大学は（品数や質はともかくとして）ハラール対応を行っていますが、留学生の少ない大学では、取り組む意思さえ持っていないようにみえます。

企業においても、多国籍化は進みません。「世界で戦うために企業も多国籍化を」と、政府の肝いりで幾つかの取り組みがなされましたが、職場に外国人がいるという会社は、全体の１％にも達しません。通信の大容量化・高速化に伴い、世界では在宅ワークやリモートワークが当たり前になっていますが、海外拠点のテレワークは、日本ではほとんど行われていません。企業秘密を守れない、というのが、多くの企業の言い分です。

このような状況のなか、優秀な人材は外国企業に取られ、人的交流も乏しく、日本企業はどんどん世界経済の中で存在感を失くしています。

最近の流行としては、外国に移住する日本人が増えたことでしょうか。特に、小さな子どもがいる家庭の外国移住が目立ちます。比較的資産のある人の間では、以前から「お受験」として子どもを有名幼稚園・小学校に進学させる動きがありましたが、最近は、その進学先が外国の幼稚園・小学校になってきています。人気の進学先は、シンガポール、マレーシアに加え、ドバイ、カタールです。母子だけで移り住むケースも多いようです。

純粋に、転職先として外国に移る人も目立ちます。特に30歳前後の独身の人に多い傾向で、男女問わず、「思いっきり能力を活かせる場所に行きたい」「能力をちゃんと評価してくれるところで働きたい」と外国企業に飛び込んでいっています。

ただし、能力主義の分、転職してすぐにプライドをへし折られ、ボロボロになって帰国する人も少なくありません。

最近では、「身の丈経営」が国家レベルでもよくいわれます。成長を無理に目指さず、日々、食べることに困らない状況があればいいじゃないか、という一種の現実逃避です。

それも悪くはありませんが、現実問題としては、厳しい状況があるのは確かです。いびつな少子高齢化により、現役世代への負担は限界を超えてしまっています。現役世代の1・5人が高齢世代の1人を支えるかたちになり、しかもその高齢世代の3割近くが85歳以上という状況になっています（★14）。

そのなかで、優秀な人材は外国に渡り、国内では労働力不足が慢性化しています。農業、漁業などの一次産業の従事者が足りず、サービス業、とりわけ情報産業の人材が過剰という産業による労働力配分のいびつさも目立っています。つまり、「食べていければ良い」という、その最低限のラインさえ、維持するのが厳しくなりつつあります。

★14
国立社会保障・人口問題研究所の推計では、2040年の生産年齢人口は5978万人。それに対して65才以上は3921万人で、単純計算で生産年齢人口1・5人で高齢者1人を支えることになる。

そうした中で特に中国企業が、買い叩くようにして日本企業を傘下に収める例が目立っています。リストラも激しく、現役世代の自殺者も増加し続けています。つい先日は、親の介護を続けながら勤務していた50代会社員がリストラに遭い、将来を悲観して一家心中をはかった事件が世間を騒がせました。しかし悲しいことに、こうしたニュースはもはや珍しいことではなくなっています。

現在地はどこか

さて、ポジティブシナリオとネガティブシナリオ、いかがでしたか?

よく言われることですが、過去は変えられませんが、未来は変えることができます。それは、私たち一人ひとりの意識や行動で変えられます。ぜひみんなの力で、誰にとっても住みやすい日本、未来の明るい日本、誇れる日本をつくっていきましょう。

ポジティブなシナリオ、ネガティブなシナリオと、2つを上げてみましたが、実はすでに動き出している事例があります。そこから、日本の現在地を知ることができるはずです。幾つかご紹介しましょう。

ハラール対応したラーメン店

人口12万人ほどの栃木県佐野市は、10年ほど前から多文化共生を実践しています。そのきっかけの一つとなったのは、やはり食。名物佐野ラーメンのハラール対応でした。お店の名は「日光軒」、座席22席ほどのラーメン店です。現在の店主、五箇大成さんは3代目です。

ハラール対応を始めたのは20年ほど前から。代々続く店では新しいことを始めにくいなか、自分らしいチャレンジをしてみようと思ったことがきっかけだそうです。背景には、北関東に複数ある大型工場や工業団地で働くムスリムが増えているということがありました。

五箇さんは友人のムスリムにハラール対応を教えてもらい、その意見を参考にしながら完成させたのがハラールラーメンとハラール餃子。ハラール餃子は栃木県産のニラとキャベツにハラール処理された鶏肉を用いたもので、経済産業省が主催する、日本のふるさと名物を世界に発信するウェブサイト「NIPPON QUEST™（ニッポンクエスト）」の食部門で2016年に初代総合グランプリに輝いています（応募総数1600件）。

もっとも、グランプリに輝く前から日光軒はムスリムに大人気。彼らの間では超有名店で、マレーシアの人気俳優が成田空港から日光軒に直行したという逸話も残っています。在住ムスリムの来店者が多く、その数は月に約200人。車で2～3時間かけて来る人も多いそうです。

そんな日光軒では、メニューを2種類用意しています。一つは地元の人向けの昔ながらのメニュー。ハラールではないラーメン、餃子などです。もう一つはハラールメニュー。要望があったときにハラールメニューを提示し、注文を取っています。

お客さんの比率は9割が日本人。定食などを食べにくるお客さんが多くその中にムスリムもいる感じで、特別にムスリム向けの店作りをしているわけではありません。店自体はハラール認証を取っているわけでもなく、そもそも、英語のメニューを用意したのもほんの数年前からとのこと。お祈りしたいという要望があるときには、調理場との境にある冷蔵庫の前のスペースを紹介し、「ここでいいですか？」「いいです」となれば、マットを渡して自由に使ってもらっています。メッカの方向だけは教えるようにしているそうですが、それ以上の干渉は一切しない。お好きにどうぞ、というスタンスです。

ハラールメニューの用意があるとはいえ、認証もなく、つい最近まで英語メニューもなく、専用のプレーヤースペースもない。それなのになぜ人気なのか――？

理由を五箇さんは

「口コミやSNSが大きいです。認証がある、こんな対応をしている、とあれこれ説明するよりも、ムスリムの同胞が『あの店はいいよ』と言ってくれるほうがずっと説得力があります」

と話します。ハラール認証などよりも同胞の評価のほうが価値がある、というところがリアルです。確かに私たちも、「ニューヨークの＊＊という店はいいよ」と友人から聞けば、ガイドブックは無視してその店を訪ねますよね。信頼されることの重要さを教えられます。

クリケットタウンを目指す佐野市

そんな佐野市も例に漏れず人口減少が最大の問題になっています。約30年前から人口は減少を続け、現在の約12万人が40年後には約7万人ほどになるというのです。そこで官民が一体となって始めたのがクリケットによる地方創生でした。日本ではあまり知られていませんが、実はクリケットは世界の競技人口が3億人、ワールドカップの視聴者数は15億人と、サッカーに次ぐ世界第二位の規模を誇ります。英国発祥のクリケットはオーストラリア、南アフリカ、インド、パキスタン、バングラデシュ、スリランカといった英連邦と南アジアの国々に人気のスポーツなのです。トップ選手の年収は30億円以上というのですから、その人気ぶりがうかがえます。実際ロック歌手のミック・ジャガーやエリック・クラプトンもクリケットの大ファンで、しばしばインドのトップチームを訪問しているほどなのです。そして南アジアの国々はムスリム大国です。ハラールラーメンが有名で、農作物も豊富な佐野市がクリケットをまちおこしのコンテンツとしたことは戦略的だったといえるでしょう。

２０１６年佐野市は「『クリケットタウン佐野市』創造プロジェクト」を国へ申請し、地方創生事業として認可を得ました。そしてプロジェクトマネジャーを民間から選出し、廃校をグラウンドとして整備し、エンバシーカップなる在日本各国大使館選抜８チームによる大会を開催するなど、まちおこしを進めています。

極めつけは２０１９年に開催されたU—19ワールドカップ東アジア太平洋予選で、日本代表が無敗で優勝した快挙です。代表チーム14人のうち３人が佐野市出身で、２０２０年南アフリカで開催されたワールドカップに出場しました。クリケットの日本代表がワールドカップに出場するのは、フル代表、年代別を含めて初めてとのこと。食とスポーツのダイバーシティを進める佐野市に今後も注目したいと思います。

ムスリムに大人気の大阪のソウルフード

大阪市福島区にある日本食レストラン「祭」は、２０１６年オープンの比較的新しい店です。提供しているメニューはラーメン、寿司、たこ焼き、お好み焼きと、〝何でもあり〟。訪日客が食べたい和食トップ10をそろえており、大阪のソウルフードを中心に約70メニューを用意しています。

祭は最初からムスリムを意識した店づくりをしています。「日本食を一切口にしないで帰国するムスリムが少なくないと知り、それは何とかしたいと思ったのです」と、オーナーの佐野嘉紀さんは出店動機を語ります。

コロナ前は30席の店に年間で1万5000人ほどが来店する人気店で、ここでもSNSでムスリム客が「この店はいいよ！」と写真をアップしていったのが広まる原動力になったといいます。

祭がユニークなのは、客層が昼と夜で様変わりすること。昼は日本人（特にサラリーマン）が9割なのですが、夜になるとムスリムが9割になります。昼の日本人たちは、ハラール料理だとまったく意識せずに定食を味わっているのです。

佐野さんの言葉が印象的です。

「ハラール料理といっても特別なものではない。重要なのは彼らが何を求めているかを掴んでいくことで、考えてみれば、それ自体はどの店、企業でもやっていることです。店主導ではなく、お客さま主導でいくことが大切だと思っています」

ちなみに佐野さんは、英語があまり得意ではないとか。「英語の習得に力を注ぐよりも、ハートで彼らの要望を聞き出していきたい」と微笑みます。そういう心意気にも、学ぶところが大きいですね。

私たち個人のレベルでも、ムスリムやベジタリアンたちをもてなすとき、「相手が何を求めているのかを聞く」「自分にできること、できないことを正直に話す」ことが大切です。

そして結局は、それが信頼につながり、彼らの安心感、満足感につながっていくのです。

東北の町がリードするＳＤＧｓ

岩手県の内陸部北端に位置する人口約２万６千人の二戸《にのへ》市が「二戸フードダイバーシティ宣言」、食の多様性対応に力を入れています。きっかけは、今では地元企業の有志連合の中心的存在である、日本酒の蔵元・株式会社南部美人が海外輸出を始めたことでした。２０１３年にコーシャ認証を取得したのに続き、２０１９年には日本で初めて全商品においてヴィーガン認証を取得、今では世界46カ国・地域に輸出しています。

南部美人の久慈浩介社長からヴィーガン市場の魅力を聞いて動いたのは株式会社小松製菓と久慈ファーム。南部せんべいの老舗として知られる小松製菓は２０１９年にヴィーガン認証を取得し、久慈ファームも今後鶏肉のハラール認証を取得する予定です。

南部美人の久慈社長は「世界ではハラール、ヴィーガン、コーシャは常識。欧米はもちろんアフリカのウガンダでもベジタリアンやヴィーガンメニューは豊富にある。日本企業は商機と捉えるべき」と語ります。

民間企業が主導する形で始まったフードダイバーシティ対応は、国連が採択したＳＤＧｓ(Sustainable Development Goals：持続可能な開発目標)の理念「誰も置き去りにしない」にも通じるもので、「特定の主義、文化、宗教などにとらわれず、より広い世界からの訪日客に安心して訪れてもらえるまちづくり、および世界の市場で選ばれる商品づくりを目指す」

取組みは新たな地方創生策として注目されています。

ハラールメニューを揃える学食

大分県別府市。古くからの温泉地として有名なこの町に、2000年立命館アジア太平洋大学（APU）は開学しました。京都に本部を置く学校法人立命館が「自由・平和・ヒューマニズム」、「国際相互理解」、「アジア太平洋の未来創造」を基本理念として設立した国際大学です。

学生の半分が外国人留学生というAPUには約500名のムスリム留学生がいます。加えて教員の半分も外国籍であるため、APUのカフェテリアではハラールメニューがごく自然な形で提供されています。

しかもその数35種類。アジフライや唐揚げといったいわゆる日本食からタイカレーやバスク風チキンといった現地料理まで、約80カ国から集まっている学生のニーズに応えています。

別府には九州で2番目に開かれたというモスクもあることから、地元社会はイスラム教やダイバーシティへの理解が進んでいます。大学の中だけでなく別府の市内にもハラールのラーメンや鶏料理のレストランがありますし、大分県下の企業がAPUと合同でハラールの醤油やレトルトカレーの開発などもしています。

先述の「THE 世界大学ランキング日本版」（2020年版）でAPUは私立大学の中で全国5位、西日本で1位に輝いています。日英2カ国語での講義で鍛えられた日本人学生の英語力の高さは産業界から高く評価されており、国内学生の就職決定率は97％にも至っています。

ダイバーシティな環境でグローバル人材を輩出しているAPUは、日本のダイバーシティの在り方を具現化しているようです。

伝統を進化させた味噌煮込みうどん店

最後に、フードダイバーシティの成功例としてメディアでもよく紹介される「大久手山本屋」の取り組みを紹介しましょう。

名古屋市千種区にある日本料理の店「大久手山本屋」は、1925（大正14）年創業の老舗で、名古屋名物の味噌煮込みうどんが看板料理です。

同店がフードダイバーシティに取り組み始めたのは2016年頃。学生時代に世界を巡った経験を持つ5代目の青木裕典さんが、マレーシアや中東からの友人を自分の店に招待したい、と考えたのがきっかけでした。

「名古屋に来たのに『なごやめし』を楽しんでもらえない。そうした状況を変えたいと思ったのが始まりです」

と青木さんは振り返ります。

同店の場合は、具体的には、ハラール処理がされていない鶏肉や牛肉、アルコール成分を含むみりん、そして豚肉を用いていました。そのため、串カツ、手羽先、味噌煮込みうどんといった代表的な「なごやめし」をそのままでは味わってもらうことができなかったのです。

青木さんは最初、ハラール認証について調べ、認証機関にも電話相談し、セミナーにも出掛けたそうです。しかし、内容が難しく、セミナー費などの負担も感じられ、挫折しかけたといいます。

そんななかで接点を持ったのが、実は、当社「フードダイバーシティ」代表の守護彰浩でした。守護のアドバイスにより、同店では、串カツ用の鶏肉や、ポテトサラダ用のマヨネーズをハラール認証品に変えました。また、手羽先のタレは、みりんを使わずにオリジナルで作りました。

調理器具もハラール専用に用意し、通常使用のものと分けて管理しています。

そのような情報を発信し、2018年12月にハラール対応を始めたところ、初月から月間で約200人のムスリムの来店がありました。ちなみに、同店の規模は席数56です。現在では、平均して月間約300人、過去の最高では約500人が来店しています。

同店では、フードダイバーシティをさらに進めるべく、半年後の2019年5月、ヴィーガン対応も始めました。

タイムラグが生じたのは、ヴィーガンの味をつくるのに時間がかかったためです。同店のうどんではかつお出汁を用いていますが、ムスリムには許されるかつお節は、ヴィーガンには使えません。同店ではキノコや昆布から出汁を取ることでヴィーガン対応を可能にしましたが、同店らしい味を作るのに苦労がありました。その甲斐あって、今ではムスリムの来店以上にヴィーガンの来店が増えているそうです。

そのような苦労を重ねてでもフードダイバーシティに取り組む意義を、青木さんは「伝統を進化させるのが私の仕事。新しいお客さんの笑顔を見ることができてうれしいです」と話します。

「いつまで拒むのですか?」

本書の冒頭で私は、日本を「世界の辺境」と評しました。世界に冠たる経済大国に向かって何たることかと気分を悪くされた方もいらっしゃるかもしれません。しかし本書を通じて、食の禁忌がない雑食の日本人は世界では少数派であるばかりか、むしろ多数派の人たちへの配慮が足りていないということをご理解いただけたと思います。また逆に言えば「世界一の美食の国」は、フードダイバーシティを進めれば進めるほどさらにその存在感を高められることもご理解いただけたと思います。

繰り返しになりますが、食は毎日のもの。そして世界の誰もが必要なものです。加えて日本の食は世界が羨むほどおいしい。私たちがちょっと配慮すれば喜んでくれる人は増えますし、海外でも知られる「オイシイ」「モッタイナイ」という感性があれば、国連が定めたSDGs――持続可能な開発目標にも日本は貢献できるでしょう。

まずはそれぞれが異なっていることを受け入れましょう。ダイバーシティは個性であると理解しましょう。取り組みやすい食から世界と関わればいい。日本のダイバーシティは食から始めることができるのです。

私は、こんなシーンを夢想します。

世界周遊の船から降りなかった中東の富裕層

「さあ日本に着いたぞ。博多はもつ鍋、ラーメン、水炊き、鉄鍋ギョウザ。全部ハラールで食べられる。一週間の滞在じゃ足りないぞ」

米国へ帰ってしまったヴィーガンの米国人

「やっと日本でヴィーガンの食べ物に困らないようになった。これでようやく日本で働ける」

ネギを取り分けていた台湾人

「五葷抜きは精進料理と同じだと、やっと理解してくれるようになった。これで安心して日本の各地を旅できる」

買い物に2時間かかっていたムスリマ

「スーパーで食品がひと目で買えるようになった。ハラールマークがついていればすぐ買える。なくても英語の説明があるから大丈夫」

飲み会に恐怖していたムスリム

「しょっちゅうあった飲み会を年に数回の食事会に変えてくれた。これはガラディナー（特別な夕食会）という私達の馴染みのイベントなので嬉しい」

一人だけお弁当を持参していた学生

「今では給食に悩むこともなくなった。クラスメートみんなで食べる給食は毎日の楽しみ」

スキー旅行にインスタントラーメンをもってきていた訪日客

「私の国では出来ないスキーを楽しめて、私の国では食べられない食事を楽しめて、やっぱり日本はサイコーね」

自分の娘を日本に留学させるか悩んでいた親御さん

「どの大学もハラールの食事とお祈りスペースを完備している。そしてなにより日本人はムスリムに優しい。娘を日本に留学させることにしたわ」

そしてラーマンさん。彼と私は今でもシンガポールで直接会ったり、チャットアプリやSNSを通じて交流しています。まだ来日していない彼に私は「そろそろ日本へ来てよ。ラーマンさんに食べてもらえる日本の食も増えたから」と誘っています。子供が5人いる彼は「今が一番楽しい」と孫を抱えながら話します。

「ヨコさんが日本でハラールを広めてくれて嬉しいよ。そのきっかけが私だったのは光栄だが、それも含め神《アッラー》が導いて下さったもの。だからそろそろ日本へも行けそうだね。神がお望みであれば《インシャアッラー》」

保育園を探して

あるインドネシア留学生ママの経験談です。日本語はほぼ母国語並みに話せて書ける非常に優秀な方ですが、そんな彼女でも第一子である長男を保育園に入れるのに相当苦労したとのこと。日本人と同じ待機児童問題とイスラム教に対する理解がネックなのでした。

その際心配していたことがいくつかあります。

ハラールに対応した給食を提供してもらえるだろうか

過度なダンスを強制されないだろうか

激しい音楽は控えてもらえるだろうか

クリスマスやハロウィンのイベントへの参加を
強制されないだろうか

慎ましいことを良しするイスラム教の規範では一定以上のダンスや音楽は好まれるものではないとされています（彼らの中でも賛否は分かれますが）。

また一神教であるイスラム教は異なる宗教行事に参加することはありません。ハロウィンやクリスマスはキリスト教の宗教イベントですので、ムスリムは参加できないのです。

そうした希望に対し、保育園側も熱心に耳を傾けてくれ、最終的に音楽やダンスには配慮する、ハロウィンやクリスマス会は「お楽しみ会」とする、そして食事はハラール対応することにしました。しかも彼女の息子だけではなく、全園児対象とすることにしたのです。その理由は、ハラールがムスリムではない園児にも安全安心だと理解したからです。

このような保育園が全国でも増えることを願っています。

あとがき　食は世界の共通語

本書は世界に取り残されてしまった日本が、ダイバーシティを取り入れ、再び繁栄するにはどうしたらよいかを示すために編まれました。

日本人の海外への関心が高まらない中、コロナ禍前、訪日客は増え続けていました。しかも日本は初めてではないといういわゆるリピーターの割合はすでに6割を超え、おもてなしの国のサービスレベルを見る目は厳しくなってきています。

世界を知らない日本人と世界を動きまくっている訪日客。今こそ日本は謙虚になって、世界と向き合わなければなりません。できることから世界へ近づいていかなければならないのです。

幸い今の時代はインターネットが普及していますので世界の情報を瞬時に入手できます。わざわざ海外へ出ていかなくても訪日客や留学生をつかまえればちょっとした国際交流はできます。しかし、それはあくまで初歩の初歩。かつてのように日本が世界で存在感を示せるようになるには、世界が変化している以上のスピードで日本が変化していかなくてはならないのです。

それには、米国球界で活躍したイチロー選手が現役引退した際の記者会見での発言が参考になります。

「アメリカに来て、メジャーリーグに来て、外国人になったこと。アメリカでは僕は外国人ですから。このことは、外国人になったことで人の心を慮《おもんぱか》ったり、人の痛みを想像したり、今までなかった自分が現れたんですよね。この体験というのは、本を読んだり、情報を取ることができたとしても、体験しないと自分の中からは生まれないので」

この発言は自分を客観的に見つめ、環境に対して真摯に向き合い、自己研鑽を続けてきたイチロー選手の、極めて謙虚な姿勢が表れていると私は思います。

世界が激変し、日本が取り残されている中でも「日本が好きだ。行ってみたい。食べてみたい。交流してみたい」という人たちは世界中にいます。日本人はそうした人たちについて無知で、無関心で、無責任なのです。

Food is Global Language.――食は世界の共通語――食事はコミュニケーションの基本です。同じテーブルを囲んでともに時間を過ごすことからダイバーシティへの理解は始められます。

必要なのは「食べられないものはありますか?」「これはこの材料でこう作っています」とぶっちゃけること。情報開示して判断してもらうことです。これらが絶対失敗しないおもてなしのポイントです。

最後に、ライターの谷隆一氏に、大きな感謝を申し上げます。私にとってデビュー作となる本書において、谷氏の実力と人柄なくして、本書は日の目を見ることはなかったでしょう。

また、出版社「ころから」の木瀬貴吉代表にお礼申し上げます。「今こそこの本が求められている」というご助言には、大変勇気づけられました。

大前研一学長はじめビジネス・ブレークスルー大学大学院のクラスメート、教員および関係者の皆様にも御礼申し上げたい。BBTに入学していなければ、また学長プレゼンテーションの機会がなければ、私がハラールメディアジャパンを創業することも、この本が生まれることもなかったでしょう。

フードダイバーシティのメンバーにも御礼を申し上げたい。閉塞感漂う日本において日本を開こうと日々奮闘しているみんなの姿は、本書を完成させるのに大きな力となってくれました。

そして、これまで私を支えてくれた家族、パートナー、応援して下さった皆様、やむ無く離れていってしまった方々にも御礼申し上げたい。私のここまでの五十余年の人生は、皆様あってのものだったと、心から感謝しています。本当にどうもありがとう。

選ばれないニッポンになる前に、私たちができること。意外に簡単で〝おいしい〟とご理解いただけたでしょうか。

本書が日本のダイバーシティを始めるきっかけになることを願っています。

2021年1月　「長い旅」（©矢沢永吉）を聴きながら――

横山真也

横山真也

よこやま・しんや

１９６８年生まれ。２０１０年に企業コンサルタントとして独立開業、12年にシンガポールに法人設立。国内外の企業買収や再生プロジェクトを運営管理するかたわら、14年にハラールメディアジャパン株式会社（現フードダイバーシティ株式会社）を共同創業。２０１６年シンガポールマレー商工会議所から日本人として初めて起業家賞を受賞。米トムソン・ロイター系メディアＳａｌａａｍＧａｔｅｗａｙから〝日本ハラールのパイオニア〟と称される。ビジネス・ブレークスルー大学大学院経営学研究科修了（ＭＢＡ）。同大学非常勤講師。

おいしいダイバーシティ

美食ニッポンを開国せよ

２０２１年1月20日　初版発行

１７００円＋税

著者　横山真也

構成　谷隆一

パブリッシャー　木瀬貴吉

装丁　安藤順

イラスト　なみへい

発行　ころから

〒115-0045

東京都北区赤羽1-19-7-603

TEL　*03-5939-7950*

FAX　*03-5939-7951*

Mail　*office@korocolor.com*

Web-site　*http://korocolor.com*

Web-shop　*https://colobooks.com*

ISBN 978-4-907239-44-2

C0095

ktks